D0418761

Ploegsma Leeswijzer®

Tovertante Archibalda

is geschreven door Thea Dubelaar van wie bij Uitgeverij Ploegsma ook de volgende boeken zijn verschenen:

Sjanetje (Zilveren Griffel)
Een beetje leeuw
Drie in de put
Mijn papa is een prins
Gevecht om een glimlach
Zand in je limonade
Kom erin, zei de spin
De grap
Een ander verhaal
Gouden vleugels
Op zoek naar Vincent
Het bontje van Betsie (streepjesboek)
Het wonder van Ron (streepjesboek)
Het vuur-spook (streepjesboek)

heeft onder meer als thema's:
verbeelding - fantasie

Over Thea Dubelaar en haar boeken staan achter in dit boek meer bijzonderheden.

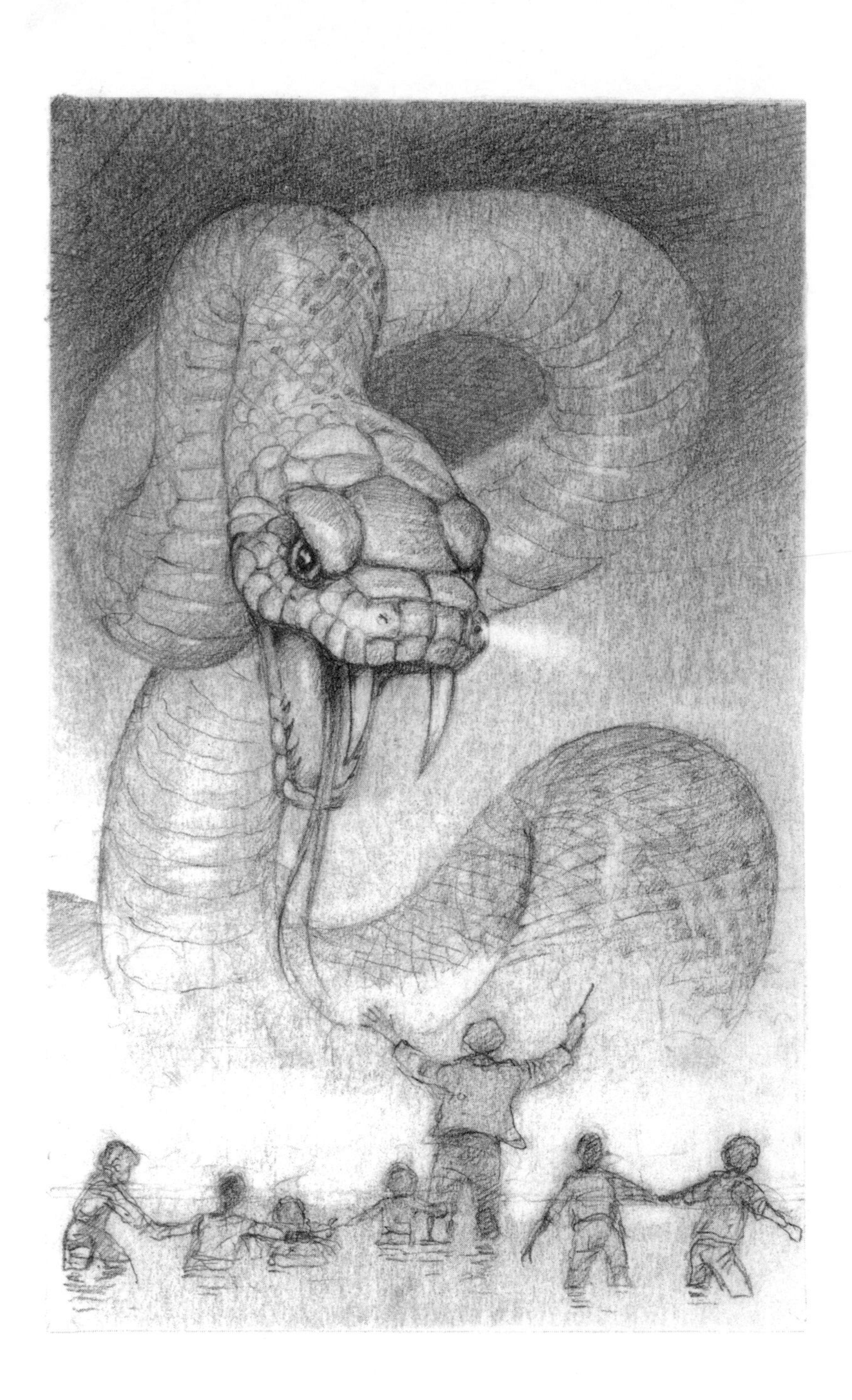

Thea Dubelaar

Tovertante Archibalda

met tekeningen van René Pullens

Uitgeverij Ploegsma Amsterdam

ISBN 90 216 1242 9

Verspreiding in België: C. de Vries-Brouwers bvba, Antwerpen

Te laat

Olaf, Bart en Adje Eenhoorn keken alle drie uit het treinraampje. Hun boeken, viltstiften en overgebleven broodjes waren weer ingepakt. Hun felgekleurde nylon tassen stonden al naast hen op de bank.

„We zijn er bijna," zei Olaf. Bart was opeens heel zenuwachtig. Ze waren al vaker bij tante Alda te logeren geweest, maar dit was de eerste keer dat ze alleen met de trein gingen.

De conducteur was onderweg een paar keer naar hen komen kijken, omdat hun moeder dat had gevraagd. En aan de andere kant van het pad zaten een opa en oma die zich ook steeds met hen hadden bemoeid. Van de oma kregen ze appels en krentenbollen. De opa vertelde bloedstollende verhalen over vroeger, toen hij nog machinist op een trein was. Over twee treinen die recht op elkaar af gingen, omdat het sein niet goed had gewerkt. Olaf en Bart hadden met open mond geluisterd en 'stil nou' geroepen naar Adje die eigenlijk nog klein was voor zulke verhalen en steeds vroeg: „Wat is een sein? Wat deden die treinen dan?"

„Denk je dat tante Alda op ons staat de wachten?" vroeg Bart voor de tiende keer. Olaf haalde ongeduldig zijn schouders op.

„Natuurlijk staat ze er," gromde hij. „En als ze er nog niet is dan wachten we gewoon op het perron." Met een zucht keek Bart weer uit het raam.

Archibalda Eenhoorn stond op een wiebelende ladder hoog in de kerseboom. Ze spuugde een pit uit en staarde naar een trosje vruchten dat helemaal bovenin hing. Het waren prachtige kersen.

De dunne tak waaraan de vruchten hingen stak ijl af tegen de blauwe lucht. Het verleidelijke trosje leek onbereikbaar, maar Archibalda klom nog hoger in de ladder tot ze op de bovenste sport balanceerde. Ze hield zich vast aan de dunne tak die vreselijk zwaaide. Ze zwaaide mee, naar voor, naar achter. Toen verloor ze haar evenwicht en dook voorover de boom in. Ze draaide en gleed tussen de takken door naar beneden en kwam tamelijk elegant onder de boom in het gras terecht. Het regende kersen op haar hoofd. Als laatste viel het trosje donkerpaarse kersen in haar schoot.

Archibalda begon het op te eten. Genoeglijk spuugde ze de kersepitten zo ver als ze kon, om haar eigen record te verbeteren. Ze hoorde een vlieg voorbijkomen, een krekel sjirpen. Verderop fladderde een koolwitje geruisloos door het ritselende loof. Toen hoorde ze heel hoog een vliegtuig, waardoor ze eraan dacht dat ze Monica moest halen.

Monica was de droefheid zelve zoals ze daar stond, helemaal alleen in de grote aankomsthal van het vliegveld. Naast haar voeten stond een keurige, dure koffer. Met twee armen klemde ze een tas tegen haar borst alsof ze bang was dat iemand hem af zou pakken.

Archibalda voelde zich schuldig toen ze het magere, bleke meisje ontdekte.

„Wat suf van me om de tijd te vergeten," mompelde ze, terwijl ze met grote stappen door de eindeloze hal holde.

„Monica," riep ze alvast. „Monica." Met open armen naderde ze het meisje, maar plotseling botste ze op de diepe droefheid die om Monica heen hing. Ze bleef staan.

„Het spijt me dat je moest wachten," begon ze. „Maar ik zat kersen te eten en ik hoorde een krekel sjirpen en..."

„Het geeft niet," fluisterde Monica. „Ik ben het gewend. Om vergeten te worden." Er gleed een traan langs haar neus.

„Niet huilen lieverd," mompelde Archibalda. „Het zal niet meer gebeuren."

„Ik huil niet," snifte Monica. Het maakte Archibalda helemaal van streek. Ontdaan stond ze naar het treurige meisje te kijken. Tot ze aan de jongens dacht. Die moest ze van het Centraal Station afhalen. Ze greep Monica's koffer, pakte haar koude trillende hand en sleurde haar mee door de enorme hal naar de uitgang. Even later scheurden ze in Archibalda's oude bus over de snelweg.

De trein schommelde over de wissels naar het station. Het einde van hun eerste reis zonder begeleiding was in zicht.

Bart drukte zijn neus tegen het raampjo om vooruit te kunnen kijken.

„Ik zie tante Alda niet," zei hij, opnieuw ongerust.

„Hoe kun je haar nu zien?" snauwde Olaf. „De trein staat nog niet eens stil. Ze is er heus wel."

Maar toen ze even later achter de opa en oma aan, schuifelend bij de treindeur waren gekomen en uitstapten, zagen ze nog steeds geen tante Alda.

„We kunnen haar laten omroepen," bedacht de oma. Olaf luisterde niet naar haar. Hij zocht Adje. Zijn broertje zat op zijn hurken op de rand van het perron te kijken naar de rails. Olaf haalde hem daar weg, greep Bart bij zijn arm en trok ze allebei mee terug naar de plaats waar hun tassen stonden.

De oma verdween naar het loket Inlichtingen.

„Let jij op de kleintjes," zei ze nog tegen de opa voor ze de trap afging. Kleintjes, dacht Olaf verontwaardigd. Hij vond de oma een vervelend mens. De opa was veel aardiger. Hij stond met zijn handen op zijn rug te kijken naar een nieuwe trein die het station binnen kwam rijden.

„Alles gaat automatisch in die dingen," zei hij tegen niemand in het bijzonder.

„Mevrouw Archibalda Eenhoorn wordt verzocht om naar de Inlichtingen te komen," klonk het uit de luidspreker.

„Ik hoop maar dat tante Alda het hoort," zuchtte Bart.

Archibalda Eenhoorn rende net door de stationsgang. Zodra ze haar naam hoorde stond ze stil. De reizigers botsten tegen haar op, maar Archibalda merkte het niet. Ze probeerde te beslissen of ze door zou lopen naar het derde perron of eerst naar Inlichtingen zou gaan. Op dat moment zag ze Adje. Hij wandelde op zijn gemak door de gang. Met zijn vinger in zijn mond keek hij belangstellend naar alle gehaaste reizigers.

Archibalda pakte hem op en gaf hem een klapzoen.

„Waar was je nou?" vroeg Adje.

„Ik kwam eraan," antwoordde ze. „Waar zijn de anderen?" Adje wees met een nat vingertje naar een trap. Archibalda vergat onmiddellijk de omgeroepen boodschap en snelde zo vlug ze kon naar boven.

„Daar is ze," riep Bart die haar het eerste zag. Olaf staarde verbijsterd naar zijn kleine broertje. Hij had al die tijd gedacht dat Adje vlak naast hem stond. Hoe kon hij nu ineens de trap opkomen met tante Alda.

„Mijn broertje loopt altijd weg," vertelde Bart aan de opa. „Als je even niet kijkt is hij verdwenen."

„Wat lastig," antwoordde de opa. Hij knikte vriendelijk naar tanta Alda en zei: „Ik ga maar eens op zoek naar mijn vrouw. Ze zal wel snuiven van ongeduld. Af en toe is ze net een zeehond."

Bart begon te giechelen. „Ja," zei hij. „Ze heeft ook een snor." Olaf gaf hem een stomp en Archibalda begon vlug de opa te bedanken.

Terwijl ze naar de uitgang liepen, vroeg Adje: „Wie heeft een snor?"

„Mag ik de boter?" vroeg Bart. Olaf gaf de botervloot een zet. Het ding kwam tegen een beker melk aan die bijna omviel. De jongens gluurden naar tante Alda, maar die had niets gemerkt. Ze zat voor zich uit te staren.

„Straks komen Cissé en Tibilé..." zei ze tegen de lamp. Tenminste zo leek het omdat ze naar boven keek.

„Wat een rare namen," zei Olaf.

„Afrikaans," legde tante Alda uit.

„Het wordt wel vol met al die vreemden," merkte Olaf op. Monica zuchtte en zakte iets verder weg onder de tafel.

„Ja," zei Bart. „Eigenlijk ben jij onze tante. Waarom komen al die anderen dan?"

„Ik zal wel weggaan," fluisterde Monica. „Ik ben ook een vreemde."

Olaf en Bart keken elkaar aan. „We bedoelden jou niet," zei Olaf uiteindelijk. Bart viel hem bij.

„Nee, we bedoelden die Pissé en Bibelebontseberg."

„Cissé en Tibilé," verbeterde tante Alda streng. „En één ding moeten jullie goed onthouden. Ik ben van niemand en hier in huis is plaats voor iedereen."

„Om genoeg plaats te maken moet je wel kunnen toveren," zei Olaf. Hij keek naar de kleine volle tafel. Tante Alda grijnsde.

„Dat kan ik ook."

„Ja hoor," spotte Olaf.

„Kan je echt toveren?" vroeg Bart. Archibalda glimlachte geheimzinnig. Monica vergat even om droevig te

kijken en Adje riep:
„Wat is toveren?"
„Toveren," zei tante Alda plechtig. „Toveren is dingen laten gebeuren die eigenlijk niet kunnen."
„Ja hoor," zei Olaf weer. „En dat kan jij zeker?"
„Ik heb het nog nooit geprobeerd," bekende tante Alda. „Maar als ik goed mijn best doe, kan ik vast wel toveren."
„Heb jij dan een toverboek?" vroeg Bart.
„Nee," zei tante Alda.
„En een toverstok?" vroeg Monica.
„Ook niet."
„Dan kan je het nooit leren," zei Olaf.
„Misschien heb ik toch wel ergens toverattributen," zei Archibalda nadekend. „Wis en waarachtig, ik moet nodig eens zoeken naar toverdingen, want eigenlijk ben ik een toverheks."
„Een heks?" riep Bart. „Je bent toch geen heks."
„Heksen zijn oud en lelijk en gemeen," fluisterde Monica.
„Een toverkol dan." Archibalda giechelde kakelend.
„Daar lijk je helemaal niet op!" riep Olaf lachend.
„Nee," beaamde Bart. „Daar lijk je helemaal niet op. Je bent gewoon een aardige tante."
„Een tovertante," hikte Olaf.
Archibalda proefde het woord. Het beviel haar wel. Ze knikte.
„Voortaan ben ik tovertante Archibalda."
Op dat moment sloeg de grote klok. Het was een oude, staande klok met een glazen deur waarachter een koperen schijf heen en weer ging, steeds maar heen en weer. Hij leek nog het meest op de klok waarin een van de zeven geitjes zich had verstopt. Zo'n klok waarvan je ogen raar blijven staan, als je net scheel kijkt wanneer hij slaat. Die hoge staande klok sloeg statig negen keer.

„Jongens, we moeten opschieten," riep tante Alda meteen.

„De tafel moet afgeruimd, de afwas gedaan. Als iedereen helpt zijn we net op tijd klaar, want dadelijk komen Cissé en Tibilé en die moeten we keurig ontvangen..."

„Jammer dat je nog niet hebt leren toveren," giechelde Olaf.

„Dan had je alles schoon kunnen toveren."

Tante Alda schudde haar hoofd. „Ik denk niet dat ik dat soort toverkunsten ga leren, veel te gewoon. Ik houd meer van donder en bliksem en vuurwerk en zo."

Monica keek bezorgd en ze sprong op van schrik toen tante Alda doordringend gilde. Ze had net Adje ontdekt die naar de keuken kwam. Hij had alle borden op elkaar gezet en de messen er bovenop gelegd. Daar bovenop had hij nog drie bekers gestapeld.

„Ho wacht," stamelde tante Alda. Maar Adje liep gewoon door en schoof de hele stapel voorzichtig op het aanrecht.

Archibalda zuchtte diep toen alles veilig stond.

Cissé en Tibilé werden gebracht door een vrolijke, tamelijke dikke oom die maar heel even bleef. De meisjes leken helemaal niet op hem. Ze waren allebei dun, lang en zeer donker. Je kon het niet echt zwart noemen, vond Olaf.

Ze leken wel een tweeling, behalve dan dat het ene zusje lief en een beetje verlegen keek, terwijl de andere juist een brutale blik in haar zwarte ogen had. Haar mond was afwisselend een schreeuwerig gat en een valse dunne streep. Het zachte zusje, zoals Olaf haar noemde, heette Tibilé. Als ze praatte klonk haar stem als het getingel van klokjes.

Olaf hoopte de hele tijd dat ze iets zou zeggen omdat

dat getingel zo prachtig klonk. Maar Tibilé zei niet veel. Haar zusje was steeds aan het woord.

Cissé praatte nijdig en hard, alsof ze doorlopend kwaad was.

Dat kan leuk worden deze vakantie, dacht Olaf teleurgesteld. Hij had liever jongens gewild, maar er kwamen alleen meiden bij en wat voor meiden. Droevige Monica en nijdige Cissé. Alleen Tibilé was...

,,Nu zijn we compleet," zei tante Alda opgewekt. ,,Drie jongens en drie meisjes. We gaan er een sprookjesachtige vakantie van maken."

,,Sprookjes zijn voor kleine kinderen," siste Cissé venijnig. ,,Heeft u geen t.v.?"

,,Nee," antwoordde tante Alda. ,,Ik heb geen t.v. en ik heb liever niet dat je u tegen me zegt. Ik ben jij en tante Alda."

,,Poeh," blies Cissé, ,,wat stom, geeneens een t.v."

,,Dat geeft toch niet," zei Tibilé. ,,We hebben onze cassetterecorder mee en bandjes. Die mogen we toch wel draaien?" Tante Alda knikte.

,,Wat heb je voor bandjes?" vroeg Bart. ,,Van Michael Jackson?"

,,Nee, van Youssou N'Dour," snauwde Cissé. ,,Daar heb je zeker nog nooit van gehoord."

,,Nee," antwoordde Bart. ,,Ik houd meer van Michael Jackson en Olaf ook."

,,Die vind ik zo stom!" riep Cissé. Ze sprong op en danste net als Michael, maar dan heel belachelijk. Bart moest lachen maar Olaf was beledigd.

,,Je bent zelf stom!" riep hij.

,,Ik zie wel dat jullie elkaar heel aardig vinden," zei tante Alda. ,,Dat komt goed uit. De jongens en Monica kunnen een rondleiding geven. Laten jullie Cissé en Tibilé het huis en de tuin maar eens zien. En als het kan zonder ruzie graag." Cissé haalde nijdig haar schouders op, maar Monica ging meteen staan. Adje liet zich van de bank glijden en gaf Cissé een hand. Ze keek naar het kleine handje alsof het een slijmerige slak was, maar ze zei niets en Adje huppelde vrolijk met haar mee.

„Kom," zei Olaf tegen Bart. „Wij gaan vast naar buiten." Ze liepen regelrecht naar de geheime schuilplaats die ze de vorige vakantie in het bos hadden ontdekt.

„Hier kunnen ze ons nooit vinden," zei Olaf tevreden toen ze met zijn tweetjes door de dichte struiken naar de geheime plek waren gekropen.

Bart en Olaf kenden de omgeving van tanta Alda's huis op hun duimpje. Ze kenden alle weggetjes en paden die van het huis naar het bos en het dorp gingen. Ze hadden urenlang met zijn tweeën in het bos gespeeld. Maar dit was de eerste keer dat ze zich schuil hielden. In het begin kletsten ze nog wat over de opa en oma die ze in de trein hadden ontmoet. Ze probeerden te raden waarom Monica zo droevig was. Ze vertelden elkaar hoe vervelend ze Cissé vonden en wat ze zouden doen als ze weer zo kattig deed. Maar na een tijdje was er niets meer te praten. Bart porde met een stokje in de grond en Olaf pulkte aan een korst op zijn knie. Allebei luisterden ze naar de indrukwekkende stilte van het bos. Er waren wel allerlei kleine geluidjes - gepiep van vogels, geritsel van muizen, het snorren van vliegen en torretjes die rondvlogen. Maar over dat alles heen hing een warme wollige stilte.

„Het suizelt," zei Olaf, terwijl hij met zijn hoofd in zijn nek naar de boomkruinen staarde.

„Wat denk je dat de anderen doen?" vroeg Bart.

Olaf haalde zijn schouders op.

„Zullen we teruggaan?"

„Naar die meiden zeker." Olaf snoof minachtend.

„En naar Adje, die is er toch ook," probeerde Bart, maar

Olaf wilde niet naar huis.

„We gaan naar de woonwagen," besliste hij. Hij stond op en kroop onder de struiken door terug naar het bospad.

Ze volgden het pad langs de bosrand. Rechts lagen de huizen van het dorp dicht tegen elkaar in een soort dal. De mosgroene daken leken net op vogels in een nest. De zon stond precies in het midden van de hardblauwe lucht, hoog boven hun hoofden. Het was warm.

Bart begon steeds langzamer te lopen. Hij had eigenlijk helemaal geen zin om verder te gaan. Hij had dorst. Hij dacht aan de koele schaduw aan de zijkant van tante Alda's huis en aan een groot glas van haar eigengemaakte limonade met ijs en een rietje.

Olaf stapte vastberaden verder, hij was de oudste. Bart deed niet altijd wat Olaf wilde maar als ze buiten waren, besliste zijn broer toch meestal wat ze gingen doen.

De vorige keer dat ze bij de woonwagen waren, stond de deur open. Binnen was het toen een enorme troep. De eigenaardige kluizenaar die er altijd had gewoond, lag in het ziekenhuis. Volgens tante Alda had hij koudvuur in zijn ene overgebleven been. Het andere been was er jaren geleden al eens afgehaald.

Tante Alda had ook verteld dat koudvuur niet kon genezen. Als dat aan een voet begon te vreten dan zat er maar één ding op. Het hele been moest eraf.

Olaf en Bart hadden vol afschuw naar het akelige verhaal geluisterd en allebei hadden ze vurig gehoopt dat ze nooit koudvuur zouden krijgen. Maar tante Alda had gezegd dat je dat alleen kreeg als je een wond niet goed schoonhield en dan moest je ook nog oud of ziek zijn.

De woonwagen zag er dit keer nog vervelozer uit dan de vorige keer. De deur was dicht, het was doodstil bij de wagen. Bart en Olaf bleven op een afstand staan kijken.

„Denk je dat er iemand is?" fluisterde Bart. Olaf schudde zijn hoofd en gebaarde dat hij mee moest komen. Ze slopen dichterbij. Bart was zijn dorst vergeten.

„Moet je zien," zei hij zacht en hij wees naar een roze kunstbeen dat half verscholen tussen de hoge brandnetels voor de woonwagen lag.

„Volgens mij woont hier niemand meer," zei Olaf wat harder. Bart keek weifelend.

„Hallo, is er iemand?" riep Olaf keihard.

„Stil joh!" siste Bart, maar Olaf liep het trapje van de woonwagen op en bonsde op de deur. Er gebeurde niets. Voorzichtig deed hij de deur open en ging naar binnen. Even later stond hij weer in de deuropening met nog twee kunstbenen in zijn handen.

„Die man is een duizendpoot," giechelde hij.

„Handig zeg," antwoordde Bart. „Ik zou ook wel een stuk of tien kunstbenen willen hebben. Dan kom je lekker snel vooruit."

„Dacht je dat?" galmde een stem vanuit de bosrand.

Olaf liet de kunstbenen in de brandnetels vallen. Zelf viel hij ook zowat van het trapje van schrik. Bart stond te trillen op zijn benen. Ze keken allebei verstijfd naar de enorme kerel die nu vlak bij hen stond. Hij had een ruige witte haardos en brede schouders, hij zag er voor zijn leeftijd oersterk uit.

In elke hand had hij een soort skistok. Toen hij op de jongens afkwam, zagen ze dat hij aan elk been een wiel had in plaats van een voet. Hij duwde zich vooruit met de skistokken.

Olaf was de eerste die in beweging kwam. Met een sprong was hij van het trapje en begon te rennen. Hij sleurde Bart mee. Het pad naar het dorp liep omlaag. De jongens vlogen naar beneden, maar steeds als ze omkeken was de witharige reus op wielen dichterbij. Hij had de skistokken onder zijn armen geklemd en racete de helling af. Hij zou hen zeker te pakken hebben gekregen als Olaf niet snel een slim idee had gekregen. Hij zag een hobbelig pad dat het veld inging. Het liep ook nog een beetje omhoog. Daar zou de reus niet meer zo snel kunnen rijden. Hij sleurde Bart mee het paadje op. Ze bleven rennen tot ze eindelijk bij tante Alda's huis waren.

Vuurrood en hijgend, nat van het zweet, kwamen ze de tuin in lopen.

,,Wat hebben jullie uitgespookt?'' vroeg tante Alda.

,,We hebben gehold,'' antwoordde Olaf.

,,Ja, want we hebben honger,'' legde Bart uit.

Tante Alda keek hen achterdochtig aan maar zei verder niets. Ze gaf hun allebei een dubbele boterham.

Cissé, Tibilé en Monica lagen plat op hun buik in het gras te ganzeborden.

,,Waar waren jullie,'' wilde Adje weten.

,,In het bos,'' vertelde Bart met volle mond.

,,Kan je niet eerst je mond leegeten voor je praat!'' riep Cissé venijnig over haar schouder.

Toen ze niet meer keek, stak Bart zijn tong uit naar haar rug. Adje giechelde met zijn hand voor zijn mond en stak toen zelf ook zijn tong uit naar Cissé. Tibilé zag het, maar ze zei niets. Zodra het spel uit was, vroeg ze of de jongens mee wilden doen. Olaf luisterde naar het getingel van haar stem en opeens vond hij spelletjes doen het leukste dat er bestond.

De zon stond al een stuk lager aan de hemel toen ze het ganzebord opruimden.

Tante Alda maakte een kampvuur. De rest van de middag en de avond waren ze bezig met worstjes bakken. Ze maakten brood om stokjes volgens een recept dat Bart en Olaf kenden. Ze mochten wortels uit de groentetuin halen en tante Alda maakte een grote pot augurken open. Ze dronken sloten limonade en zelfs Monica keek redelijk vrolijk toen ze met zijn allen lui rond het vuur lagen. De zon was inmiddels tot vlak boven de horizon gezakt. Hij zag vuurrood. Volgens tante Alda betekende dat mooi weer voor de volgende dag.

Het was ontzettend laat. Thuis zouden ze allang in bed hebben gelegen, maar dat was het leuke van logeren bij tante Alda, daar ging alles anders. Opeens viel Adje in slaap, zomaar met zijn hoofd op tante Alda's schoot, precies op het moment dat ze de eerste ster zagen. De lucht was nog licht en alleen die ene ster was zichtbaar. Het leek net een diamant.

„Ik denk dat het nu een goed moment is om te zoeken naar iets toverachtigs," zei tante Alda. Voorzichtig pakte ze Adje op en droeg hem naar zijn bed. Hij werd niet eens wakker. Terwijl ze hem uitkleedde, gingen de anderen op zoek. Bart en Olaf zochten in de kelder. Cissé en Tibilé speurden in de tuin. Alleen Monica ging binnen op de bank zitten. Ze zat droevig voor zich uit te kijken naar de boeken in de kast tegenover de bank. Plotseling viel haar oog op de lichtgevende letters op de achterkant van een boek.

'Toverboek' stond er. Het drong niet meteen tot Monica door wat dat betekende. Ze las het nog eens hardop: „Toverboek." Toen vergat ze helemaal om droevig te zijn. Ze sprong op en rende naar de kelderdeur.

„Ik heb een toverboek gevonden!" schreeuwde ze naar beneden. Daarna holde ze naar de tuindeuren en riep:

„Kom vlug. Ik heb een toverboek gevonden!"

Tante Alda die Adje net had toegedekt, deed zachtjes de slaapkamerdeur dicht. Bart en Olaf, Cissé, Tibilé en Monica, ze stonden allemaal naar de boekenkast te staren toen tante Alda erbij kwam.

„Hoe kan dat nou?" zei ze. „Dat boek heb ik nog nooit eerder gezien. „Voorzichtig haalde ze het uit de kast. Op de voorkant stond de titel weer: Toverboek. Daaronder schitterden drie sterren en een maansikkeltje in dezelfde lichtende kleur.

Tante Alda deed het open. De eerste bladzijde was wit, zoals bij de meeste boeken, maar de bladzijde daarna was ook wit, net als alle volgende.

„Er staat niets in," zei Bart teleurgesteld.

„Wat een nepboek!" schreeuwde Cissé. Nijdig schopte ze tegen een stoelpoot. De anderen waren ook teleurgesteld. Tante Alda zette het boek terug in de boekenkast.

„Morgen bekijken we het nog eens," zei ze. „Misschien ziet het er bij zonlicht anders uit." De kinderen keken haar aan, sommigen hoopvol, anderen wantrouwend en Cissé riep:

„Volgens mij staat er morgen ook niets in!"

Toen gingen ze allemaal naar bed.

Monica was wakker, maar ze bleef met haar ogen dicht liggen alsof ze sliep. Ze haatte het om wakker te worden. Ze probeerde weer weg te zakken in de droom die ze had vlak voor ze het gegiechel in het andere bed had gehoord. Het was niet zo'n duidelijke, maar wel een prettige droom geweest. Zo ongeveer alsof ze in een warm bad met lila schuim lag. Lila was een heerlijke kleur, geheimzinnig en zacht. Een kleur om je in te spinnen. Monica's droom was een cocon van lila zijde waarin ze zich kon verschuilen. De buitenkant van de cocon was giftig, zodat iedereen die hem aanraakte zou sterven.

Het gekwebbel in het andere bed drong onverbiddelijk haar oren binnen. Een ogenblik dacht ze dat het Nora en Maurien waren, die lagen te kletsen. Nora en Maurien waren haar kamergenoten op het internaat waar Monica het hele schooljaar woonde. Maar toen merkte ze dat ze de taal niet verstond en ze wist weer dat ze haar kamer deelde met Cissé en Tibilé. De zusjes spraken hun eigen Afrikaanse taal.

Monica ging op haar rug liggen.

„Ik geloof dat ze wakker wordt," zei Tibilé. Cissé antwoordde iets onverstaanbaars en Tibilé lachte. Monica hoorde dat ze naar haar bed toekwamen en ze voelde dat ze op de rand gingen zitten, elk aan een kant.

Ze werd ontzettend bang. In het internaat probeerde ze altijd om onzichtbaar te zijn zodat niemand haar opmerkte. Dat was de beste manier om te ontsnappen aan rotgeintjes en pesterijen. Maar hoe kon je onzichtbaar worden met twee meiden die op de rand van je bed naar je zaten te kijken?

Ze voelde hoe Cissé en Tibilé naar haar toebogen en ze hoorde hen blazen voor ze de weggeblazen lucht voelde. De luchtstroompjes kriebelden op haar voorhoofd, langs haar neus, over haar wangen, naar haar hals en oren. Ze rolde haar hoofd opzij om aan het plagerige gekriebel te ontsnappen. Ze knipperde met haar ogen. Cissé en Tibilé lachten weer. Nu deed Monica haar ogen helemaal open. Ze zag Tibilé's stralende gezicht vlakbij.

„Het is allang dag, joh," lachte Tibilé.

Monica ging zitten. Cissé drukte op de knop van de cassetterecorder. Het geroffel van tamtams en het hoge gezang van Youssouf N'Dour schalde door de slaapkamer. De zusjes dansten als clowns rond Monica's bed. Met hun lange armen en benen leken ze wel sprinkhanen, dansten ze als kraanvogels, hobbelden ze rond als olifanten in een rij.

Ongemerkt ging de kamerdeur open. De jongens gluurden naar binnen. Adje werd meteen dol toen hij de zusjes zag dansen. Hij stortte zich naar binnen en sloot zich aan bij de olifantenrij. Bart en Olaf kwamen erachteraan zodat de rij weer langer werd. Ze stampten op de maat door de kamer en over de bedden. Monica was helemaal omhooggekropen en zat met opgetrokken knieën op haar kussen. Daar bleef ze zitten kijken tot het bandje was afgelopen en alle anderen uitgeput en lacherig neervielen op de bedden. Lang bleven ze niet liggen, want opeens kwam er een verrukkelijke geur de kamer indrijven.

„Pannekoeken!" riep Bart.

Met zijn allen stormden ze naar de keuken waar tante Alda net de eerste pannekoek de lucht in gooide en weer keurig opving in de koekepan.

Tovercirkels

De oude klok sloeg negen uur. De statige slagen galmden door het huis terwijl de koperen slinger onverstoorbaar heen en weer ging. Als bij toverslag dachten ze allemaal tegelijk aan het geheimzinnige boek.

„Dit is een goed moment om het toverboek te bekijken," zei tante Alda. In optocht liepen ze naar de boekenkast. Vol verwachting staarden ze naar het boek met de lichtende letters. Tante Alda pakte het voorzichtig. Ze ging zitten en legde het op haar schoot. De kinderen kwamen om haar heen staan. Langzaam sloeg Archibalda het grote toverboek open. Het schutblad was nu donkerblauw met toverachtige flonkertjes. Adje voelde met een vinger aan het blauw.

„Niet doen!" riep Olaf, want het leek ongepast om die toverflonkers aan te raken.

Tante Alda sloeg nog een bladzijde om en ze kwamen bij het titelblad waarop 'Toverboek' stond, maar er stond niet bij wie het had geschreven. Hardop las Archibalda het eerste hoofdstuk dat op de volgende bladzijde begon.

Tovercirkel

Tovercirkel, toverring
zonder eind, zonder begin,

wijd als de lucht,
strak als een knoop,
niet te koop, nooit te koop.

Het is in jezelf,
het zit binnenin,
eind zonder eind
en het begin.
TOVERCIRKEL, TOVERRING.

Even bleef het stil. Toen vroeg Adje:

„Wat staat er?" En dit keer dachten de anderen hetzelfde als Adje, want niemand had er iets van begrepen.

„Sla nog eens om," zei Olaf. „Misschien staat er op het volgende blad wat ze bedoelen."

Maar het volgende blad was wit en de rest van het boek was ook leeg, net zo leeg als gisteren het begin van het toverboek was geweest.

„Ik denk dat we zelf moeten ontdekken wat het betekent," zei tante Alda.

„Het gaat over tovercirkels, dat is wel duidelijk," zei Olaf.

„En je kan ze niet kopen," fluisterde Monica.

„Het is in jezelf," las Bart hardop. „Het zit binnenin."

TOVER-
BOEK

,,Wat een stom boek," riep Cissé. ,,Daar heb je toch niets aan, aan zo'n stom boek!"

,,Juist wel," vond Olaf. ,,Het is een echt toverboek. Die zijn altijd zo geheimzinnig zodat niet iedereen ze kan lezen. Alleen iemand die kan toveren begrijpt wat er staat."

Alle kinderen keken tante Alda aan. Als ze echt kon toveren, moest zij kunnen vertellen wat deze geheimzinnige woorden betekenden.

,,Ik denk dat we allemaal cirkels moeten gaan maken," zei tante Alda. ,,Ieder op zijn eigen manier. Dan ontdekken we de echte tovercirkel vanzelf."

,,Belachelijk," riep Cissé. ,,Daar doe ik niet aan mee. Echt niet!"

,,Echt wel," riep Adje. ,,Je doet wel mee!" Cissé wierp hem een vernietigende blik toe.

,,Waar bemoei je je mee?" vroeg ze, maar Adje was al naar haar toegelopen. Hij pakte haar hand en zei:

,,Ik doe met jou samen."

,,Moet het binnen of buiten?" vroeg Olaf.

,,Net wat je het beste lijkt," antwoordde tante Alda. ,,Maar buiten is lekkerder, want de zon schijnt en de lucht is blauw en de rozen ruiken heerlijk."

Cissé rukte zich los en rende weg. Adje stoof achter haar aan.

Tibilé ging naar het grindterras. Ze zocht er kleine witte steentjes. Daarmee legde ze een prachtige cirkel op het pad naar de voordeur.

Bart en Olaf kozen een plek midden in het grasveld. Met schepjes hakten ze de graszoden weg, want ze wilden een zandcirkel maken in het gras. Maar de cirkel mislukte een beetje omdat ze elk aan een kant begonnen. Toen de twee halve cirkels elkaar raakten leek het resultaat meer op een ei. Daarom haalden ze nog wat gras weg. Bart aan de binnenkant en Olaf aan de buitenkant. Elke keer als ze van een afstandje hun werk bekeken, was de vorm anders. Ovaal, langwerpig, krom als een bruine boon en dan groeven ze weer verder tot Tibilé bij hen kwam kijken en vroeg:

„Wat zijn jullie aan het doen?"

Bart en Olaf keken elkaar aan en keken toen naar het omgewoelde grasveld. Ze hadden helemaal niet gemerkt dat ze er langzaam maar zeker een slagveld van hadden gemaakt. Overal lagen plaggen gras en bonken aarde. In het midden van het omgewoelde stuk stond nog één graspol overeind. Er was geen cirkel of ei zelfs vierkant meer te ontdekken.

„Jee," zei Bart, „wat zal tante Alda wel zeggen."

„Misschien kunnen we het weer goed maken," mompelde Olaf. Hij begon graszoden bij elkaar te zoeken en legde ze naast elkaar op de kaalgeharkte grond. Na een half uurtje werken lag overal weer gras, maar het zag er nog steeds verschrikkelijk uit.

„Er is niets aan te doen," zei Bart ontmoedigd.

„Jemig, het is ook hartstikke stom zo'n tovercirkel." Olaf gooide kwaad zijn schep weg en ging verderop in het gras zitten mokken.

„Wat is er?" vroeg tante Alda die al een tijdje naar hen had staan kijken.

„Moet je zien," zei Olaf en hij wees naar het verwoeste grasveld.

„O, dat," antwoordde tante Alda. „Ik kreeg net een schitterend idee. Precies op die plek zou ik wel graag een vijver willen hebben. Als jullie even helpen met graven..." Ze liep weg om in de kelder een schep te halen. De kinderen keken elkaar aan en begonnen toen te lachen. Ze rolden gierend door het modderige gras. Cissé en Adje kwamen aanhollen om te horen wat er aan de hand was en zelfs Monica, die tot nu toe alleen maar had staan kijken, kwam dichterbij.

„Die tante Alda," hikte Bart. „Die heeft altijd een goed idee."

„Ze is echt heel bijzonder," lachte Tibilé.

„Ze tovert altijd alles weer goed," fluisterde Monica.

„Ze is toch een tovertante!" riep Adje, want dat had hij nu eindelijk begrepen.

Voorbij het kleine bos achter tante Alda's huis begon het grote bos. Tante Alda noemde dat 'Het woud van goed en kwaad.'

Het grote bos was al meer dan tweeduizend jaar oud. De Galliërs en de Romeinen hadden er gewoond. Karel de Grote en Jeanne d'Arc waren er geweest. Er stonden heilige eiken van zes eeuwen oud. Je zag er de witte wijven en elfen. Bij nacht en ontij zwierf er het magische sprookjesvolk rond.

Maar overdag was het woud gewoon een groot bos waarin je lekker kon wandelen. Als je geluk had zag je herten of everzwijnen. Er waren ook konijnen, eekhoorns en fazanten. Een enkele keer kruiste een mooi slangetje je pad. En tante Alda wist er een helder beekje dat zomaar midden in het bos begon bij een bron aan de voet van een eik.

Die middag reden ze met zijn allen in de oude bus van tante Alda naar het bos. Ze hadden schepnetjes en lege potten bij zich want ze waren van plan om vissen, salamanders, en waterspinnen te vangen voor de vijver.

De vijver was uiteindelijk mooi rond geworden. Langs de randen lagen grillig gevormde stenen. Ze hadden allemaal geholpen om de vijver te vullen. Er waren 777 emmers in gegaan volgens Bart, maar niemand wist of het waar was, want ze hadden ze niet geteld. Het waren er in elk geval wel veel. De vijver was tamelijk groot uitgevallen. Er was genoeg ruimte omheen, zodat iedereen er bij kon zitten. Ondanks de hete zon hadden ze tussen de middag gepicknickt aan de rand van het water.

Cissé had zitten mopperen. Er zaten geen planten en geen dieren in het water. Ze vond een lege vijver stom. Eigenlijk vonden ze dat allemaal en daarom waren ze op weg gegaan naar de beek in het bos.

Cissé, Tibilé en Monica hingen half over de rug van de voorbank van het busje. Ze vroegen tante Alda van alles over het bos. Of er wilde dieren waren en of je er kon verdwalen.

Olaf, Bart en Adje lagen op hun knieën op de achterbank en keken door de achterruit. Ze waren nog maar net op weg toen ze de man op wielen zagen. Hij naderde ijselijk snel tot hij vlak achter het busje aan reed. Vals grijnsde hij naar de jongens. Ze voelden kippevel op hun rug komen.

„Hee, een wieleman," zei Adje. „Hebben jullie dat gezien, een wieleman."

„Stil," siste Olaf. Hij keek naar de anderen om te zien of ze hadden gehoord wat Adje zei.

„Is het een geheimpje?" vroeg Adje.

Bart knikte. „Je mag het tegen niemand zeggen."

Adje keek met grote ogen naar de wieleman.

„Ik vind hem eng," zei hij na een tijdje. „Waarom gaat hij niet weg?"

„Hij wil ons verraden aan tante Alda," fluisterde Bart.

„Wat hebben jullie dan gedaan?" vroeg Adje.

„Niks," antwoordde Olaf. „We keken alleen maar."

„Denk je dat het die man is die koudvuur in zijn been had?" vroeg Bart.

„Wat is dat, koudvuur?" vroeg Adje, nog voor Olaf kon antwoorden.

„Dat is een soort beestje dat aan je vreet," legde Bart uit. „Als het ergens aan begint te vreten, bijvoorbeeld aan je vinger, dan moet je hele arm eraf."

„En als hij aan je neus vreet?" vroeg Adje. „Moet dan je hoofd eraf?"

„Het vreet nooit aan je neus," beweerde Olaf. Bart rilde. Hij had dat koudvuur altijd al eng gevonden, maar het idee dat het aan je neus kon vreten, daar werd hij pas echt bang van.

„Kom op, we gaan gewoon zitten," zei Olaf ineens. „Als we niet meer naar hem kijken, gaat hij misschien wel weg."

Ze gingen alle drie keurig recht zitten. Tante Alda zag het in haar achteruitkijkspiegel.

„Is er wat?" vroeg ze.

„Nee, niks," zeiden Bart en Olaf tegelijk.

Opeens was de wieleman verdwenen. De jongens hadden niet gezien of hij teruggegaan of afgeslagen was. In ieder geval reed hij niet meer achter het busje toen tante Alda haar knipperlicht aandeed en voorzichtig rechts de berm inreed.

Zodra ze waren uitgestapt, speurden de jongens de weg af, maar er was niemand te zien. Opgelucht liepen ze met de anderen mee het bospad op.

Het was een flink eind lopen naar de beek. Maar het was lekker koel in het bos onder de hoge bomen. Ze speelden tikkertje op het pad rondom tante Alda. Bart was het eerste bij de beek.

„Hij staat droog!" riep hij teleurgesteld. De anderen kwamen aangehold. Zelfs tante Alda liep nog wat harder. Ze dacht dat Bart haar voor de gek hield, maar Bart maakte geen grapjes. De beek stond echt droog. Alleen de bodem was nog wat modderig. Er groeide zegge, riet en waterkers, maar de vissen, torretjes en andere water-

dieren die hier een maand geleden nog rondzwommen, waren verdwenen.

Ze volgden de beek tot aan de bron onder de eik. Maar zelfs daar was alleen nog modder met sporen van hertepoten.

„Laten we in ieder geval wat planten meenemen," zei tante Alda. „Dan hebben we tenminste iets levends in de vijver. En morgen moeten we maar een paar goudvissen kopen."

Ze trokken een pol zegge uit de modderige grond en een rietplantje. Omdat er bij de beek niets te beleven viel, besloten ze om verder te wandelen.

„Als jullie stil zijn, zien we herten," zei tante Alda. Dus slopen ze over het bospad tot aan een vijfsprong. Daar overlegden ze welke kant ze op zouden gaan. Olaf, Cissé en Tibilé wilden terug naar het busje. Bart en Monica wilden nog wel verder. Maar Adje besliste.

„Ik hoor trommels," zei hij opeens. „Daar." Vastbesloten liep hij het pad op dat hij had aangewezen. De anderen volgden hem. Bij elk kruispunt luisterde Adje naar de trommels en koos dan een pad.

„We gaan helemaal de verkeerde kant op," mopperde Olaf.

Adje keek hem beledigd aan. „Daar zijn trommels," zei hij, alsof dat voldoende reden was om de verkeerde kant op te gaan.

Een half uur lang liepen ze achter Adje aan, die naar de trommels zocht. Langzamerhand vroegen ze zich af of hij die trommels niet verzon, want niemand anders hoorde ze.

„Het is al laat, Adje," zei tante Alda. „En we moeten naar huis. Het is nog een heel eind lopen naar het busje." Ze pakte Adjes hand, maar hij trok zich los en holde weg. Tante Alda ving hem weer en tilde hem op. Maar hij

spartelde als een vis en ze kon hem niet lang houden.
„Ik wil naar de trommels!" gilde hij.
„Adje, er zijn geen trommels," zei Bart.
„Echt wel," riep Adje. „Luister dan!"
Ze luisterden allemaal zo goed ze konden. Niemand hoorde wat.
„Ik weet wat," zei Cissé tenslotte. Ze begon om Adje heen te hollen. Linksom, rechtsom, rechtsom, linksom. „Pak me dan," riep ze. „Adje, je kan me toch niet pakken! Stomme Adje, die kan me niet pakken!" Ze cirkelde net zo lang om hem heen, tot hij achter haar aan holde en riep:
„Ik kan je best wel pakken." Cissé wachtte tot hij vlakbij haar was en rende daarna terug langs het pad. De anderen holden opgelucht achter hen aan.
Zodra ze in het busje waren, viel Adje in slaap.
„Dat waren nu tovercirkels, de rondjes die Cissé om Adje heen heeft gelopen," zei tante Alda. „Gelukkig dacht ze er aan, anders liepen we nu nog achter die trommels aan."
„Poeh?" zei Cissé. „Ik holde gewoon maar wat." Maar Olaf zag dat ze eigenlijk heel blij keek. Ze leek opeens sprekend op Tibilé.

Tibilé zat bij de vijver. De anderen speelden verstoppertje. Ze kwamen af en toe voorbijrennen en riepen:
„Doe toch mee!"
Maar Tibilé was niet in de stemming voor spelletjes. Ze had de witte steentjes opgeraapt van het pad naar de voordeur. Want ze lagen daar wel mooi, maar het was geen echte tovercirkel. Nu liet ze de steentjes een voor een in de vijver vallen. Elke keer rimpelde het water in mooie ronde kringen die pas ophielden bij de rand van stenen. Rimpelkringen, dacht Tibilé. Ze was in een rare

stemming. De lucht was goudkleurig. De tuin was prachtig. Het was hier leuk en toch verlangde Tibilé naar huis.

Ze woonde in een afbraakbuurt van een grote stad. De houten trap in haar huis was zo smerig dat het vuil de hoeken van de treden half had gevuld. Op drie hoog waren twee stinkende w.c.'s waarvan alle bewoners van het huis gebruik maakten en helemaal bovenin onder het dak woonden zij. Ze hadden maar twee kamers. Er was geen keuken en geen badkamer. Tibilé wist nu al dat alles nog vuiler en lelijker zou lijken als ze terugkwam van vakantie. Dat was iedere keer zo.

Elke grote vakantie logeerde ze bij mensen die buiten woonden en een tuin hadden. Elke keer als ze na zo'n logeerpartij thuiskwam, zag ze heel goed hoe vies alles was. En toch verlangde Tibilé naar huis, naar de twee kleine kamers waar ze met zijn achten woonden.

Ze deed haar ogen dicht en rook de geur van yassa en tjeb die haar moeder kookte op het kleine campinggasstel. De geur van groene zeep waarmee de kleren werden gewassen. Tibilé miste haar moeders diepe stem en haar langzame weidse gebaren. De manier waarop ze het babyzusje aan een arm optilde en op haar rug legde. Ze miste Boubou, haar broertje dat lam was geworden omdat hij de afgebladderde verf had gegeten, toen hij klein was. Het was hele oude verf, er zat veel lood in, had de dokter uitgelegd. Boubou was er bijna van dood gegaan. Ze miste ook haar grote broer die vijftien was en al werkte, ze miste haar vader, en haar tante die bij hen inwoonde.

Ze voelde tranen opkomen. Omdat Olaf en Bart eraan kwamen, boog ze diep over de vijver alsof ze de waterplanten bekeek. Ze wilde niet dat de anderen merkten dat ze huilde. De tranen drupten in het water. Ze maakten net als de steentjes daarvoor rimpelkringen, fijner en kleiner, maar net zo rond.

Olaf zag het terwijl hij voorbijrende. Hij wilde stoppen, naar Tibilé toegaan, maar hij deed het niet. In plaats daarvan riep hij Adje. „Moet je zien," zei hij. „Tibilé zit te slapen. Laat haar eens schrikken."

Adje grijnsde en rende weg. Onverwacht sprong hij op Tibilés rug. Ze kukelde zowat voorover de vijver in en gilde. Adje liet zich van haar af rollen en ging er vandoor.

Tibilé kwam kwaad overeind. Ze schreeuwde: „Stom joch," precies zoals Cissé dat altijd deed. Adje lachte en bloof op een afstand naar haar staan kijken. Tibilé sprong op en rende achter hem aan. Tevreden zag Olaf dat ze alweer lachte.

Die avond zaten ze weer om het vuur. Adje sliep niet, want hij had in het busje al geslapen. Tante Alda leerde hun ouderwetse liedjes. Bart en Olaf zeiden dat ze een vies liedje kenden en iedereen wilde dat natuurlijk horen. Vooral de vieze woorden zongen ze keihard. Ze hoorden niet eens dat de buurvrouw van tante Alda haar raam opendeed en riep: „Is het nu afgelopen, kan het eindelijk stil zijn!"

Mevrouw Desmet was vreselijk keurig en gewoon. Daarom noemden Olaf en Bart haar buurvrouw Gewoon. Ze stond bijna altijd naar tante Alda en de kinderen te loeren, half verscholen achter de gordijnen. Soms zat ze buiten en deed alsof ze de krant las.

Mevrouw Desmet vond de kinderen onbeschaafd. Geen wonder ook, met dat slechte voorbeeld van die rare mevrouw Eenhoorn, dacht ze. Ze weet niets van opvoeden. Ze maakt er een puinhoop van, een wanorde, een keet. Bij het woord 'keet' griezelde mevrouw Desmet, want eigenlijk vond ze dat een onbehoorlijk woord. Ze had er vaak over gedacht om de politie te waarschuwen. Ze wilde een klacht indienen wegens geluidsoverlast of ordeverstoring. Het liedje was uit en ze maakte van de stilte gebruik om te roepen:

„Als het nu niet stil wordt, bel ik de politie." Met een klap sloeg ze het raam dicht. Helaas deed ze dat wat hard zodat de ruit met veel gerinkel brak.

„Net goed voor die tuthola," zei Cissé.

„Wat is een tuthola?" vroeg Adje.

„Dat is..." begon Cissé. „He Adje, waarom vraag je toch altijd van die moeilijke dingen?"

„Omdat jij moeilijke dingen zegt," antwoordde Adje ernstig.

„Die zit," riep Olaf en Bart zei overmoedig:

„Een tuthola is een snotbal, een poepeschijter."

„Stil!" riep tante Alda streng. „Daar beginnen we niet aan. Jullie hebben voor vandaag wel genoeg vieze woorden gezegd. En het is bedtijd."

„Nu al," klaagde Olaf. „We zitten net zo lekker bij het vuur." Maar ze stonden toch allemaal op en gingen naar binnen.

De volgende ochtend deden ze elk iets anders. Tibilé zat te lezen. Monica schreef brieven die ze steeds verscheurde. Cissé plaagde Adje en Adje rende achter haar aan om zich te wreken. Olaf tekende een plan voor een boomhut en Bart was de grootste boom van tante Alda's tuin aan het verkennen. Maar zodra de oude klok negen statige slagen door het huis liet galmen, kwamen ze allemaal naar de boekenkast. Bart vertelde dat hij de klok niet eens had horen slaan. Maar het was net of er een stemmetje in zijn hoofd zat dat riep.

Tante Alda pakte het toverboek uit de kast en sloeg het open. Ze ging langs de donkerblauwe flonkers, langs de titel en het hoofdstuk over tovercirkels. Op de volgende bladzijde stond iets nieuws.

„Opgelet," zei ze en las:

Toverspiegel

Tranen, keitjes, kringen rond
in vloeibare spiegel, watermond
keert alles om, wordt negatief,
is held, kobold, is lief is dief,
is sultan, fakir of kalief,
is ver, nabij, of in een droom,
is verrekijker of fantoom,
kan waarheid zijn en ook bedrog
en toch...
zonder Archibalda's blik
ben ik, ben ik,
niets dan een plas
waarmee nooit iets bijzonders was.

,,Het gaat over de vijver!'' riep Monica opgetogen. ,,We moeten naar de vijver.'' Meteen stond ze op en liep naar buiten.

,,Wat heeft die opeens?'' vroeg Cissé. ,,Ze vergeet helemaal om zielig te zijn.''

,,Monica heeft gelijk,'' zei tante Alda. ,,We gaan naar de vijver.''

Even later zaten ze met zijn allen om het water. Het was tamelijk helder.

,,Tranen, keitjes, kringen rond,'' mompelde tante Archibalda. Het water rimpelde alsof er iets in was gevallen.

,,Kijk,'' zei Monica. ,,Daar ligt Tibilé's tovercirkel van witte steentjes.'' Ze bogen zich dichter naar het water toe. Het was waar. Op de bodem lagen de witte steentjes die Tibilé in de vijver had laten vallen, keurig in een kring.

,,Vloeibare spiegel, watermond,'' mompelde tante Alda. Weer kringelde het water. Het was net of de woorden in de vijver vielen, dacht Olaf.

,,Keert alles om, wordt negatief, is held, kobold, is lief, is dief. Is sultan, fakir of kalief,'' mompelde Archibalda. De kinderen hoorden nauwelijks nog haar stem. Het was net of ze gevangen zaten in de rimpelkringen.

,,Is ver, nabij, of in een droom, is verrekijker of fantoom, kan waarheid zijn en ook bedrog.'' Bedrog, bedrog, rimpelde de vijver.

Onderin zagen ze een oude vrouw. Ze mompelde en haalde een spiegel uit haar mouw. Ze hield hem op, zodat de kinderen rond de vijver in de spiegel konden kijken. Ze zagen een meisje, zomaar een meisje. Alleen Monica zag dat het meisje op haar leek. Ze was heel droevig, want niemand hield van haar. Haar moeder was een beroemde zangeres die helemaal geen tijd en geen zin had om zich met haar dochter te bemoeien. Ze had haar op een dure kostschool gedaan. Achter de school was een grote tuin met een romantische put. Het meisje ging dikwijls op de rand van de put zitten, want er was een dichte rozenhaag omheen zodat niemand kon zien dat ze daar zat te huilen.

De vrouw op de bodem van de vijver keek naar het huilende meisje in de spiegel en mompelde: ,,Dit is al te zielig, hier moet ik iets aan doen.''

Op hetzelfde moment werd het meisje duizelig en viel achterover. Gewoonlijk lag er een deksel op de put, maar dit keer was hij open. Ze viel erin en zonk. Nu verdrink ik, dacht ze. Het kon haar eigenlijk niet veel schelen.

Maar na een tijdje kwam ze vrij zacht op de bodem van de put terecht. Daar was het niet donker, modderig en nat, maar juist heel zonnig en mooi. Er begon zelfs een weggetje, precies daar waar het meisje was neergekomen. Vrolijk volgde ze het pad.

Ze kwam langs een oven waarin broden goudbruin lagen te bobbelen op de gloeiende hete ovenvloer. De broden hadden het knap warm. Het meisje pakte de houten broodschep die naast de oven stond en haalde de broden eruit. Ze begonnen tevreden knapperend af te koelen.

Een eindje verderop kwam ze langs een appelboom. De boom hing vol rijpe vruchten. De appels hadden het veel te warm in de stralende zon en ze probeerden zich te verstoppen achter de bladeren. 'Die moeten nodig worden geplukt,' dacht het meisje en ze schudde de boom zodat alle appels in het zachte gras ploften. Ze deed ze keurig in drie manden.

Op dat moment stopte de oude vrouw de spiegel weer in haar mouw. De kinderen zagen dat het meisje aan kwam lopen over de bodem van de vijver.

„Dag lieve kind," zei de oude vrouw. „Ik ben Vrouw Holle. Ik woon in de vlier. Ik kan voor jou een moeder zijn, maar dan moet jij mij helpen."

„Wat moet ik dan doen?" vroeg het meisje.

„Een beetje schoonmaken. Gezellig met me praten en nog iets heel belangrijks. Je moet mijn bed opschudden. Je moet het zo goed schudden dat de veren rondvliegen, want dan sneeuwt het op aarde. En als beloning zal ik altijd bij je zijn, zodat je je nooit meer eenzaam en droevig voelt."

Het meisje was heel gelukkig. Maar na een paar maanden zei Vrouw Holle:

„Je moet weer terug. Dit is net zoiets als een droom. En een droom duurt niet eeuwig."

Het meisje begon te huilen en te smeken of ze alsjeblieft mocht blijven. Maar hoe graag de oude vrouw ook zou willen, het kon niet. Ze moest weg.

Vrouw Holle duwde haar door de poort die terugging naar de aarde. Terwijl het meisje onder de poort doorging, regende het gouden tientjes en alle goudstukken bleven aan haar kleven.

Zodra het meisje terug was op de kostschool, wilde

iedereen weten hoe ze aan dat goud was gekomen. Ze vertelde van de put, de broden, de appels en vooral van die lieve Vrouw Holle.

's Avonds slopen drie vriendinnen naar de put en sprongen erin. Ze verdronken alle drie want de put stond vol water. Het werd een vreselijk schandaal en het meisje kreeg overal de schuld van. Ze werd voorgoed opgesloten in haar kamer en de put werd gedempt.

Het water in de vijver rimpelde. Vrouw Holle werd onduidelijk en leek opeens sprekend op Archibalda die mompelde: „Gedempt, gedempt."

Met een zucht keken de kinderen naar haar op.

„Zo was het sprookje van Vrouw Holle helemaal niet," zei Bart. Monica snifte. De tranen liepen over haar wangen, ze was zieliger dan ooit.

„Jemig!" riep Cissé nijdig. „Jij altijd met je gejank. Kan je nooit eens gewoon doen."

„Doe niet zo rot," waarschuwde Tibilé.

„Nou, het is toch zo," snauwde Cissé. „Ze zit altijd maar te treuren en droevig te zijn, alsof ze het zieligste kind van de hele wereld is. Gezellig hoor, zo'n janker.

„Nou," zei Bart. „Jij bent altijd kattig, dat is ook niet leuk."

Cissé gaf hem een stomp. Bart sprong meteen boven op haar. Ze rolden vechtend door het gras. Tante Alda zuchtte.

„Ik wou dat ik een toverstokje had," zei ze. „Dan zou ik jullie in standbeelden veranderen."

Ze ging naar binnen en kwam terug met een emmer ijskoud water die ze over de vechtende kinderen heen stortte. Olaf en Tibilé gierden van het lachen. De druipende Bart en Cissé hielden meteen op met vechten. Ze keken elkaar aan. Daarna marcheerden ze als soldaten naar de kraan en haalden elk een bak water. Voordat Olaf en Tibilé door hadden wat er ging gebeuren, werden ze zelf ook nat gegooid. Adje liep met een pannetje te zwaaien en schepte water uit de vijver.

„Niet uit de vijver," jammerde Monica. „Niet uit de vijver."

Tante Alda riep keihard boven alle gejoel en gelach uit: „Wie gaat er mee naar het zwembad?"

„Ik, ik, ik," riepen ze allemaal, behalve Monica die nog steeds stond te jammeren.

Buurvrouw kneep afkeurend haar lippen op elkaar toen de oude bus bomvol zingende kinderen wegreed. „Dit houd ik nooit een hele vakantie uit," zei ze tegen zichzelf.

Op de terugweg kwamen ze langs het weggetje van de woonwagen.

„Wie woont daar nu?" vroeg Olaf aan tante Alda.

„Niemand," antwoordde ze.

„We hebben er wel iemand gezien," vertelde Bart.

„Wanneer?" vroeg tante Alda.

„Een paar dagen geleden. We kwamen er per ongeluk langs. Toen zagen we een grote man met wijd, wit haar."

„Was hij oud of jong?" wilde tante Alda weten.

„Oud!" riepen alle drie de jongens.

„En heel sterk," zei Bart erbij.

„Misschien is Vivier weer terug," zei tante Alda. „Ik heb er niets van gehoord. Dat moet ik toch eens uitzoeken. Vanavond gaan we naar de woonwagen en daarna maken we een nachtwandeling door het bos."

„Ik durf 's nachts niet in het bos," zei Tibilé en Cissé keek ook lang niet zo dapper als anders.

„We nemen zaklantarens mee," zei tante Alda, „en als jullie het echt eng vinden, dan gaan we terug."

„Spannend juist!" riepen Olaf en Bart.

„Ik wil de wieleman niet zien," zei Adje, maar niemand hoorde hem want ze praatten allemaal door elkaar over wat er 's nachts in een donker bos kon gebeuren.

Toen ze op weg gingen naar de woonwagen, waren de jongens wel zenuwachtiger. Eigenlijk vonden ze het doodeng om ernaartoe te gaan.

„Weet je," fluisterde Bart tegen zijn broer. „Ik denk dat die wieleman ons wil aansteken met koudvuur. Hij wil ons ziek maken."

Olaf keek hem aan. Zijn ogen waren donker van angst, maar hij zei niets.

„We moeten goed op Adje letten," zei Bart. „Dat hij niet wegloopt en alleen de wieleman tegenkomt, want dan besmet hij Adje, wedden?"

„Hou nou maar op," zei Olaf. „Straks hoort tante Alda het nog." De zon verdween achter de hoge bomen. De eerste vleermuizen vlogen door de lucht. De woonwagen stak vaalbleek af tegen het donkere bos.

Al van ver zagen Olaf en Bart dat de deur nog openstond. Bij de wagen was alles stil en verlaten. De rose kunstbenen lagen opzichtig naast het trapje.

„Woont hier de wieleman?" vroeg Adje.

„Hier woont niemand," antwoordde tante Alda. „Nog één strenge winter en de wagen valt uit elkaar. Hij is helemaal verrot."

„Wie is die wieleman?" vroeg Monica.

„Wat voor wieleman?" zei Tibilé.

„De wieleman waar Adje het over heeft."

„Hij heeft niets gezegd over een wieleman," zei Bart vlug.

„Wel," zei Adje. „De wieleman van het geheimpje."

Olaf sloeg zijn ogen ten hemel. Af en toe was een klein broertje het vreselijkste dat je kon hebben.

„Hij heeft geen voeten maar wielen," vertelde Adje. „He Olaf?"

„Dat hebben we verzonnen," zei Olaf.

„Nietes. We hebben het gezien," hield Adje vol.

„Waar dan?" vroeg tante Alda.
„Achter het busje," zei Adje. „Hij reed achter ons aan."
„Op een brommer zeker," giechelde Cissé.
„Echt niet," riep Adje boos. „Gewoon op wielen."
„Nou ja," zei Olaf en hij trok een gezicht alsof hij wilde zeggen: laat hem maar kletsen.
„Ik vind die benen eng," zei Tibilé. „Dat roze! Kunnen we hier niet weggaan?"
„Goed idee," vond tante Alda. „Kom mee, jongens."
Dicht bij elkaar liepen ze het bos in.

Adje verdwijnt

Het was nog niet echt donker in het bos. Onder de bomen was het schemerig. De duisternis sloop langzaam dichterbij.

Allerlei dieren werden wakker. De uilen schudden hun vleugels uit, pikten in hun borstveren. Ze sperden hun ronde uileogen open en wachtten op de nacht. De herten gingen op weg naar een open plek in het bos waar geurig gras groeide. De konijnen hupten rond, legden nog wat keutels op de grote hoop en verdwenen naar hun hol.

Archibalda en haar zes avonturiers gingen tamelijk stil over het bospad. Niemand sprak. Elk spiedde rechts en links het bos in. Ze schrokken van een uil die opvloog. Als een zwarte schaduw zeilde hij over hun hoofden weg.

„Ik ben bang," piepte Tibilé. Olaf ging wat dichter bij haar lopen.

„Er is niets om bang voor te zijn," zei tante Alda.

Recht boven hun hoofden flonkerden de sterren in de

smalle opening tussen de boomkruinen. De lucht was nu helemaal donker, maar het was volle maan. De ronde gele schijf kwam net boven de boomtoppen uit en wierp een vaal licht op het pad. Er waren zelfs schaduwen, alsof de maan een verbleekte zon was.

Een groot hert kwam het pad op. Het bleef even staan kijken naar het groepje nachtwandelaars. Toen ging het aan de andere kant het bos weer in. Nu kwam de hele roedel te voorschijn. Elf herten liepen op hun gemak achter hun gids aan.

Tante Alda en de kinderen slopen naar de plaats waar de dieren waren overgestoken. Er was een open plek. De herten liepen er te grazen. Af en toe stak er een de kop omhoog en tuurde in hun richting. Maar ze roken zeker niet gevaarlijk of misschien stond de wind hun kant op. In ieder geval bleven de dieren waar ze waren.

Door het bleke maanlicht was alles toverachtig mooi. Archibalda en de kinderen bleven een hele tijd staan kijken. Niemand was meer bang. Ze voelden allemaal hoe vredig het hier was. Opeens gaapte Adje luid.

„We moeten naar huis," fluisterde tante Alda. Zodra ze bewogen, vluchtten de herten weg naar de bosrand.

Ze waren bijna thuis toen ze voor zich een schimmige figuur over het bospad zagen gaan. Olaf stootte Bart aan.

„Wie is dat?" vroeg Tibilé opeens weer ongerust.

„Een andere wandelaar," antwoordde tante Alda. „We zijn niet de enigen die van de volle maan genieten." Maar Bart en Olaf wisten wel beter. Ze hadden de wieleman herkend. Ze vroegen zich af of hij de hele tijd bij hen in de buurt was geweest in het donker.

„Gelukkig heeft Adje hem niet gezien," fluisterde Olaf. Zijn broertje kon bijna niet meer lopen van moeheid.

„Blijf nog even wakker, lieverd," zei tante Alda. „We zijn bijna thuis."

De volgende dag was Adje opeens verdwenen. Niemand had het gemerkt. Pas toen ze klokslag negen verzamelden voor de boekenkast, misten ze hem.

Niemand had meer aandacht voor het toverboek. Ze zochten in de kelder, in de kasten, onder de bedden. Daarna keken ze overal in de tuin, maar ook daar was Adje niet. Tante Alda organiseerde een zoekactie. Tibilé en Cissé moesten alle straten in het dorp afgaan. Bart en Olaf de paden buiten het dorp. Monica moest thuis blijven voor het geval Adje intussen terug zou komen. Tante Alda zelf stapte in haar busje en zocht de wijde omgeving af. Een uur later waren ze allemaal weer terug. Adje was nog steeds spoorloos.

„We moeten in het bos gaan zoeken," zei Tibilé.

„Het bos is zo groot," zuchtte tante Alda. „We hebben hulp nodig, anders vinden we hem nooit. We moeten de politie waarschuwen."

„Laten we in de vijver kijken," stelde Monica voor. „Misschien zien we in de toverspiegel waar hij is."

Cissé zat met een diepe frons in haar voorhoofd voor zich uit te staren. Ze had niet eens gehoord wat Monica voorstelde, anders had ze ongetwijfeld iets kattigs geantwoord. Maar ze was ergens anders met haar gedachten. „De trommels," mompelde ze. „Hij is weer achter de trommels aan. Als hij ze hoort, moet ik ze ook kunnen horen." Ze liep naar buiten en bleef staan luisteren met haar ogen dicht. De anderen stonden verbaasd naar haar te kijken.

„Ik hoor wat," zei ze uiteindelijk. „Het is heel ver weg maar ik geloof dat ik ze hoor." Ze liep de tuin uit, het bos in. De anderen volgden haar. Cissé leek het nauwelijks te merken. Ze kwamen langs de wei waar ze de herten hadden gezien. Ze staken de rijweg over en bereikten het grote bos.

Het woud van goed en kwaad, dacht Olaf huiverend. Hij had het gevoel dat er iets vreselijks was gebeurd met zijn broertje. Stel je voor dat ze hem niet vonden. Hoe moesten ze dat aan hun vader en moeder vertellen. Hun ouders waren op reis. Olaf wist niet of tante Alda een adres van hen had. Hij slikte verwoed en dacht aan wat Bart de vorige dag had gezegd over de wieleman. Stel je voor dat die Adje had aangestoken met koudvuur. Dat zijn kleine broertje wel terechtkwam, maar dat het te laat was, dat het koudvuur hem langzaam weg zou vreten. Tot er alleen nog een romp met een hoofd over zou zijn. Olaf kon er niets aan doen dat hij begon te huilen. Het kon hem ook niets schelen dat de anderen het zagen.

„Zo kan ik de trommels nooit horen," zei Cissé kwaad en ze liep door, met grote nijdige stappen. Tibilé aarzelde en holde toen achter haar zusje aan. Vlak voor een tweesprong haalde ze haar in. Cissé sloeg het linker pad in. Tibilé volgde haar en keek ongerust achterom. Tante Alda en de anderen waren niet meer te zien.

Opeens stond Cissé stil. Ze luisterde, schudde haar hoofd en luisterde opnieuw. Toen ging ze op de grond zitten. Ze zag er uitgeput en moedeloos uit.

„Ik ben ze kwijt," zei ze kwaad. „Ik hoor ze niet meer."

„Misschien zijn ze even opgehouden met trommelen," zei Tibilé zachtjes. „Of misschien is dit het eind van hun rijk. Misschien kunnen ze niet verder dan hier."

„Als dat zo is, dan is Adje ook niet verder gekomen dan hier," zei Cissé snibbig.

„Het kan best zijn dat hij hier ergens is," antwoordde Tibilé. „Laten we hem roepen." Cissé keek haar aan alsof ze niet goed wijs was, maar ze stond toch op. Tibilé telde. Ze riepen Adje zo hard ze konden. Zijn naam echode door het bos maar er kwam geen antwoord.

„Laten we nog doorlopen tot het kruispunt," stelde

Tibilé voor. „Dat zou Adje ook hebben gedaan." Ze holden meer dan ze liepen. Ondanks hun haast zag Tibilé de ruïne. Hij lag rechts tussen de bomen. Je zag een stukje muur door het struikgewas schemeren. Ze greep Cissé's arm en wees.

Cissé draafde onmiddellijk het pad af, de struiken in. Ze lette niet op de takken die in haar gezicht zwiepten en de braamranken die witte schrammen op haar benen maakten. Tibilé volgde haar langzamer en voorzichtiger. Toen ze bij de resten van een oud gebouw kwam, zag ze Cissé nergens. Ze werd ontzettend bang. Wat moest ze doen als haar zusje ook was verdwenen. Als ze hier alleen achterbleef in dit woud van goed en kwaad.

„Cissé," gilde Tibilé. Ze hoorde een gedempt geluid dat van alles kon zijn. Een mensenstem, maar ook het gegrom van een beer of het gemompel van een tovenaar. Ze rende om het bouwwerk heen tot ze bij het gat van de deur kwam. Voorzichtig gluurde ze naar binnen. Het was binnen net zo licht als buiten, want er zat geen dak meer op het gebouw. Er groeiden struiken, onkruid en zelfs een jonge berk. Er liep een paadje vanaf de deur naar binnen.

„Cissé," riep ze weer. Haar zusje dook op in een hoek van de kamer, alsof ze oprees uit de grond. Opgelucht liep Tibilé naar haar toe.

In de hoek was een trap omlaag. Beneden was een donker vertrek. Daar lag Adje te slapen.

„Ik krijg hem niet wakker," zei Cissé. „Volgens mij is hij betoverd."

„De lucht is hier bedorven," merkte Tibilé op. Ze kreeg het benauwd. „Laten we hem naar boven brengen!"

Samen sjouwden ze hem de trap op en droegen hem naar het pad.

„Weet jij de weg terug?" vroeg Tibilé. Cissé schudde haar hoofd.

„Daar heb ik helemaal niet op gelet. Ik luisterde alleen maar naar de trommels."

„Hoe klonk het?" vroeg Tibilé opeens nieuwsgierig. „Als een tamtam?"

„Het was meer als geroffel in een historische film, met van die meneren in rode jasjes en witte broeken met trommels aan een witleren band schuin op hun buik," vertelde Cissé. Ze zat bij Adje geknield en keek naar hem. Hij zag er heel gewoon uit.

„Ga jij de anderen zoeken," zei ze. „Dan blijf ik hier op hem passen."

„Laten we uitrusten en hem dan samen verder dragen." stelde Tibilé voor, want ze wilde helemaal niet alleen door het bos dwalen.

„Dat schiet niet op," mopperde Cissé.

„Ja, maar we raken elkaar dan in ieder geval niet kwijt," wierp Tibilé tegen. „Ik vind het eng."

„Poeh," blies Cissé brutaal. Op dat moment zag Tibilé iets bewegen aan het begin van het pad. Ze begon te zwaaien en te roepen tot tante Alda haar zag.

Opgelucht stonden ze even later met zijn allen om Adje heen. Alleen Cissé keek nijdiger dan ooit. „Gaan we nog naar huis?" vroeg ze. „Ik heb honger."

„Kwaaie spin," zei tante Alda, maar het klonk heel lief, als een compliment.

Ze droegen Adje naar huis. Het was een afgrijselijk eind. Ze moesten een paar keer rusten. Elke keer probeerden ze hem wakker te krijgen. Ze trokken aan hem, kietelden hem, ze zongen keihard en fluisterden alsof ze geheimen hadden die Adje niet mocht horen, maar wat ze ook deden, hij werd niet wakker.

Zodra ze thuis waren, belde tante Alda de dokter. Die luisterde naar Adjes hart en naar zijn longen. Hij nam zijn bloeddruk op. Alles was normaal.

„Misschien heeft hij bessen of bladeren gegeten van een slaapverwekkende plant," zei de dokter. „Laat hem maar rustig liggen, hij wordt vanzelf wel wakker."

De middag duurde lang. Ze hingen maar wat rond in huis. Niemand had zin in een verhaal of een spel. Elk ogenblik ging er iemand kijken of Adje al wakker werd. De stilte was drukkend.

Tibilé hield het niet meer uit. Ze drukte op de knop van de cassetterecorder. De zang van Youssou N'Dour schalde door de kamer. Ze hoopte dat Adje van de keiharde muziek wakker zou worden. Ze bleef naar hem kijken terwijl ze luisterde, maar Adje verroerde zich niet. Haar gedachten dwaalden weg naar huis. Daardoor merkte ze niet dat Adje opeens met zijn ogen knipperde. Pas toen hij rechtop ging zitten en luid gaapte, zag Tibilé het.

„Jongens, hij is wakker!" gilde ze. De anderen kwamen aanrennen.

„Hoor, trommels," zei Adje.

„O nee, niet weer," kreunde tante Alda. Maar dit keer bedoelde Adje het dansende ritme van de tamtam op het bandje. De Afrikaanse trommels zongen en dartelden, maakten de benen kriebelig, zodat ze allemaal meededen toen Adje ging staan en begon te dansen.

Vanaf dat moment lieten ze hem geen moment meer alleen.

De oude klok tikte tergend langzaam. De grote wijzer gleed traag van de elf naar de twaalf. De kinderen zaten er met zijn allen naar te kijken terwijl tante Alda de ontbijtboel opruimde.

Om acht uur had Bart al aan het toverboek gedacht. Dat hadden ze de vorige dag helemaal niet meer bekeken. Hij was zo nieuwsgierig dat hij het meteen had willen pakken, maar tante Alda zei dat het om negen uur precies toverboekentijd was, niet eerder en niet later. Hij moest geduld hebben.

„Een uur is zo om," zei ze, maar dat viel tegen. Als je erop wachtte, duurde een uur bijna net zo lang als een hele dag.

De wijzer was eindelijk van het laatste minutenstreepje af en ging naar de twaalf. Er klonk een zacht gerommel in de klok en toen sloeg hij. Op hetzelfde moment kwam tante Alda de kamer binnen en pakte het grote toverboek.

Donkerblauwe toverflonkers, de titel, de tovercirkels, toverspiegels en daarna een nieuw hoofdstuk. Archibalda schraapte haar keel en begon luid en duidelijk te lezen.

Toverspreuk
(zie ook toverdrank)

Een woord is niets en
een woord is macht,
een duistere kracht,
niet altijd goed,
niet altijd pas,
omdat wie hoort niet altijd luistert
en wie luistert niet altijd hoort;
telt woord voor woord
op de juiste plaats, de juiste tijd
moeten toverspreuken zijn bereid,
zoals voor Adje in de ban
gezongen spreuk soms helpen kan.

ANGO LAMO
ZAMBIEK ZIMBAB
WEBOTS WANA
hoort het woord.

Om te weten wat te doen,
moet je doen wat je reeds weet,
gebruik je hoofd, het zit vol woorden,
elk een spreuk mits goed gebruikt.
Tovertante Archibalda's
tovertalent ontluikt.

„Dat klinkt prachtig," zei tante Alda, „alleen merk ik niets van dat ontluikende tovertalent. Ik heb nog niets getoverd."

„Dat bij de vijver," zei Monica, „dat was toveren. Met die toverspiegel en zo.

„Tja, misschien heb je gelijk," gaf tante Alda toe. „Het ging vanzelf. Ik weet niet of ik het een tweede keer zou kunnen."

„Sla nog eens om," zei Olaf. „Dit was van gisteren."

„Als we dit gisteren hadden gelezen," zei Cissé, „dan hadden we ook geweten met welke toverspreuk we Adje wakker konden maken."

„Hee!" riep Tibilé. Ze rende weg naar de slaapkamer en kwam terug met de cassetterecorder. „Moeten jullie horen," zei ze en ze zette het bandje van Youssou N'Dour aan bij het stuk waarvan Adje wakker was geworden.

„Hij zingt de toverspreuk," zei Bart en ze hoorden het allemaal. Een paar keer achter elkaar zong de Afrikaan: „Angola, Mozambique, Zimbabwe, Botswana."

„Het was puur geluk," juichte Tibilé, „puur geluk dat ik juist die kant opzette. Anders sliep Adje nu misschien nog."

„Ik slaap nooit," zei Adje verontwaardigd.

„Sla nou om!" riep Olaf ongeduldig. Tante Alda sloeg om en op de volgende bladzijde stond inderdaad een nieuw hoofdstuk.

Toverdrank

Kikkers, padden, drakebloed
dat is niet goed, niet goed, niet goed.
Boosaardig, slecht, duister getover
brengt droefenis en leed te over,
maar knoflook en de uiebol
verjaagt het kwaad
maakt alles zuiver.
Er is zoveel dat groeit en bloeit,
dat brand blust en pijnen sust,
geeft slaap en rust
aan menselijk oog en oor,
laat vliegen ziel en geest,
brengt mijlenver wie nooit daarvoor
van huis is weggeweest.
Plukt wortels, bes, blad en de bloem
laat weken, koken, drogen,
stamp fijn of niet, al naar gelang
in zomers jaargetij,
omwikkel hem met woorden,
want spreuk en drank gaan zij aan zij.

„Dus zo maak je een toverdrank," zei Monica zacht.
„Je moet wel veel over planten weten," zei Olaf.
„Ik zal moeten studeren in mijn grote kruidenboek," antwoordde tante Alda, „en oefenen op die toverwoorden. Ik weet niet zeker of ik nog wel wil leren toveren."
„En als je het kan, wat kan je dan toveren?" vroeg Bart.
„Misschien kan ik jullie naar een pretpark toveren," antwoordde tante Alda.
„Daar kunnen we ook met de bus heen," zei Olaf.
„Of misschien leer ik die truc van tafeltje-dek-je."
„In een restaurant hoef je maar te bestellen en de tafel

staat ook vol heerlijks," merkte Cissé op.

„Nou dan kan ik jullie misschien weg toveren naar sprookjesland."

„Komen we ook weer terug?" vroeg Tibilé bezorgd. Ze wilde best op avontuur naar sprookjesland als ze maar zeker wist dat ze aan het eind van de vakantie weer gewoon naar haar moeder terug kon.

„Dat weet je nooit zeker," zei tante Alda. „Ik weet niet eens zeker of ik jullie ernaartoe kan toveren." Ze sloeg het boek dicht en zette het op zijn plaats.

„Daar is de postbode!" riep Adje. Hij stond op een stoel bij het raam. Hij rende naar de gang en kwam terug met drie brieven. Hij gaf ze aan tante Alda.

„Dat is leuk," zei ze. „Er is voor jullie allemaal wat. Een brief voor Olaf, Bart en Adje, helemaal uit Borneo." Ze gaf de brief aan de jongens.

„Hij is van papa en mama," zei Olaf. „Kom mee, dan zal ik hem voorlezen."

„Een brief voor Tibilé en Cissé van hun moeder. En een brief voor Monica."

„Dat kan niet," zei Monica verbaasd. „Ik heb nog nooit een brief van iemand gehad. Niemand schrijft mij."

„Hij is toch echt voor jou. Alsjeblieft." Tante Alda gaf de lila envelop aan Monica. Die durfde hem bijna niet aan te pakken. Toen ze hem eenmaal in haar handen had, drukte ze hem aan haar borst zoals ze ook altijd met haar tasje deed.

„Mag ik hem buiten lezen?" vroeg ze.

„Waar je maar wilt," antwoordde tante Alda.

Monica rende naar buiten en ging bij de vijver zitten. Ze bekeek de envelop aan alle kanten. Op de achterkant stond de afzender: V.H. 'Vrouw Holle,' dacht Monica. Ze voelde zich duizelig worden van geluk. Voorzichtig maakte ze de brief open, en las:

Mijn lieve kind,
Toen ik je bij de vijver zag zitten en in de tuin zag lopen, zo bedroefd, zo triest, dacht ik: hier moet ik iets aan doen. Kinderen horen niet droevig te zijn. Ze moeten lachen, gillen, mopperen en zingen. Ze mogen kattekwaad uithalen, in een hoekje lezen, ze mogen verlegen zijn of brutaal, maar droevig, nee, dat mag een kind niet zijn.

Droefheid is iets voor grote mensen met zorgen. Wat is er mis?
Waarom zie ik jou nooit draven, lachen en kibbelen. Schrijf me. Misschien kan ik je helpen. Mijn adres is: Vrouw Holle, De oude vlier. Leg je brief op de vensterbank voor je gaat slapen. De wind brengt hem bij me. Ik zal steeds aan je denken.

Liefs, Vrouw Holle

„Liefs," fluisterde Monica. „Liefs, Vrouw Holle."

In de jongenskamer las Olaf voor de derde keer hun brief voor.

Lieve Olaf, Bart en Adje,
Tante Alda heeft ons opgebeld om te zeggen dat jullie goed zijn aangekomen met de trein. Wij zijn trots op zulke grote jongens, die al alleen kunnen reizen.

Wij hebben achttien uur in het vliegtuig gezeten. Dat viel niet mee. Papa kreeg er huppeltenen van (van al dat stilzitten in een vliegtuigstoel).

Nu zijn we al weer drie dagen in Borneo. Morgen moet papa voor zijn werk het bos in. Ik ga met hem mee. Het is wel eng, want het bos is hier zo dicht en wild dat je er helemaal niet doorheen kunt komen. We moeten met een boot over de rivier, maar daar stikt het van de krokodillen en dikke slangen.

Vroeger woonden er koppensnellers in het oerwoud,

maar die bestaan geloof ik niet meer. Dat wil zeggen, die mensen wonen er nog wel, maar ze snellen geen koppen meer. Trouwens, van mensen ben ik nooit bang, want daar kun je mee praten. Met woorden of gebaren.

Lieve kinderen, ik hoop dat jullie niet lastig zijn voor tante Alda en ook dat Adje niet wegloopt. Zul je niet weglopen Adje? Over drie weken zijn we weer terug.

Veel zoenen van mama en papa.

,,Ik loop nooit weg,'' zei Adje.

,,Gisteren wel,'' antwoordde Bart. ,,Gisteren ben je achter de trommels aangegaan.''

,,Welke trommels?'' vroeg Adje. Olaf en Bart keken elkaar aan. Met Adje wist je nooit waar je aan toe was. Of hij echt niets meer wist van de trommels of dat hij deed alsof.

,,En wat zijn snelle koppen?'' wilde hij weten.

,,Koppensnellers,'' verbeterde Olaf automatisch.

,,Dat zijn mensen die bij andere mensen hun hoofd afhakken,'' legde Bart uit.

,,Om het koudvuur?'' vroeg Adje, want dat was hij niet vergeten.

,,Nee,'' zei Bart. ,,Gewoon om ... ja, waarom doen ze dat eigenlijk, Olaf?''

,,Misschien hadden ze ruzie,'' antwoordde Olaf. ,,Uit wraak. Ik geloof dat ze die afgehakte hoofden droogden en bewaarden als trofee.''

,,Wat is een trofee?'' vroeg Bart.

,,Dat wilde ik vragen,'' zei Adje beledigd.

,,Dat is net zo iets als een beker die je wint in de voetbalcompetitie.''

Bart begon te lachen. ,,Je bedoelt zeker dat ze die koppen gebruikten als voetbal. Knal! Weer een kop in het doel.'' Olaf begon ook te lachen en Adje stond als een gek op het bed te dansen en schopte met denkbeeldige hoofden.

„Een knal voor je kop!" gilde hij.

Cissé en Tibilé kwamen kijken wat er aan de hand was.

„We voetballen met afgehakte hoofden!" riep Bart. De meiden deden griezelend de deur weer dicht. Ze liepen naar buiten en gingen bij Monica zitten.

„Van wie is jouw brief?" vroeg Cissé.

„Van mijn moeder," antwoordde Monica. „Van mijn nieuwe moeder." Tibilé en Cissé keken elkaar aan. Die nieuwe moeder vonden ze raar, maar dat zeiden ze niet. In plaats daarvan begon Tibilé over haar babyzusje.

„Ze krijgt een tand," vertelde ze.

„Twee tanden," verbeterde Cissé. Monica glimlachte vaag.

„Heb jij een broer of een zusje?" vroeg Tibilé. Monica staarde naar haar handen.

„Mijn moeder wilde mij niet eens," vertelde ze. „Ik was een ongelukje. Zoiets gebeurt je geen tweede keer, zegt ze altijd."

„Wat een stom mens zeg," zei Cissé. Monica haalde haar schouders op.

„Ze kan er niets aan doen," legde ze uit. „Ze is operazangeres en ze houdt alleen maar van muziek. Nergens anders van. Ik ben een blok aan haar been."

„Slaat ze je?" vroeg Tibilé.

„Ik zie haar nooit," antwoordde Monica. „Ze komt één keer per jaar naar het internaat, omdat het verplicht is. Dan spreekt ze met de directrice en ze praat vijf minuten met mij en dan gaat ze weer weg."

„Wat een achterlijk stom mens!" riep Cissé. „Als het mijn moeder was, zou ik haar nooit meer willen zien. Vijf minuten!"

„En wie is je nieuwe moeder?" vroeg Tibilé.

„Vrouw Holle," antwoordde Monica en ze keek zo blij dat geen van de twee zusjes durfde te zeggen dat Vrouw Holle helemaal niet bestond.

Toverdrank

Olaf, Bart en Adje waren uitgeraasd. Het was niet leuk meer om met koppen te schoppen. Ze hadden zin om met de anderen te spelen. Ze gingen op zoek naar de zusjes en Monica. In de kamer zat tante Alda te slapen. Ze had het grote kruidenboek op haar schoot. Haar ene hand lag op de bladzijde die ze had zitten lezen. Het ging over de alruin, de machtigste van alle toverplanten. Haar andere hand hing slap omlaag. Haar hoofd was voorover gezakt. Bart sloop naar haar toe en begon te giechelen.

„Geef eens een suikerklontje," fluisterde hij naar Olaf. „Dan stop ik dat in haar mond."

„Laat maar slapen," zei Olaf. „Ze is vast ontzettend moe." Stil gingen ze naar buiten.

Monica en de zusjes lagen in het gras bij de vijver. Olaf stelde voor om een hut te gaan bouwen bij het begin van het bospad.

„Als hij klaar is, kunnen we er spullen inzetten. Misschien kunnen we er ook slapen," zei hij.

„Dan wachten we tot het een stikdonkere nacht is!" riep Bart.

„Als het zo donker is, slaap ik liever binnen," zei Tibilé.

„Ik ook," fluisterde Monica.

„Meiden zijn bangeriken," vond Bart.

„Ik durf best," antwoordde Cissé. „Ik durf wel alleen."

„Komen jullie nog?" vroeg Olaf ongeduldig. Ze liepen met zijn allen naar het bospad. Omdat ze ruzie kregen over de plek waar de hut gebouwd moest worden, begonnen ze op twee verschillende plaatsen, vlak naast elkaar. Maar later maakten ze de twee hutten aan elkaar vast, zodat het een geweldig boskasteel werd.

Mevrouw Desmet had hen horen praten over een hut. Die gaan natuurlijk takken van de bomen breken, dacht ze. Ze vernielen de boel en als ik ze op heterdaad kan betrappen, geef ik ze aan bij de politie. Dan wordt dat tuig misschien teruggebracht naar hun ouders.

Buurvrouw Gewoon was niet gewend om door het bos te sluipen, maar ze wilde de kinderen zo graag betrappen dat ze op handen en knieën door de struiken kroop. Ze werd nogal nijdig van het kruipen. Er viel een rups in haar haar. Ze bleef met haar rok achter een scherpe tak haken, zodat er een grote scheur in kwam. Haar handen en knieën werden pikzwart van de vieze bosgrond en ze had de kinderen nog steeds niets verbodens zien doen. Haar humeur zakte tot het nulpunt. Ze kroop dichter en dichterbij en merkte helemaal niet dat ze zelf ook werd gevolgd. Zacht grinnikend reed de wieleman tussen de struiken door tot vlak achter mevrouw Desmet.

„Die snertkinderen, waarom vernielen ze nu niet wat," mopperde de buurvrouw.

„Je zou zelf wat schade kunnen aanrichten en zeggen dat zij het hebben gedaan," zei de wieleman met een vals lachje.

Mevrouw Desmet gaf een gil. Zo snel ze kon kroop ze weg tot ze zes paar benen voor zich zag staan. Ze keek omhoog, sprong op en ging ervandoor.

De kinderen stonden met open mond naar haar te kijken. Meteen daarna kwam de wieleman uit de bosjes.

Hij lachte al zijn gele tanden bloot. Bart en Olaf grepen Adje en renden weg. Cissé, Tibilé en Monica keken naar de wieleman, keken toen naar de vluchtende jongens en begonnen ook te hollen. De kakelende lach van de wieleman schalde door het bos.

„Julie krijg ik een andere keer nog wel," riep hij. „Nu zit ik achter die malle buurvrouw van jullie aan!" Hij reed met ratelende wielen het bos uit.

Ondanks zijn hoge snelheid haalde hij mevrouw Desmet niet in. Ze stoof naar huis, deed de deur op slot en sloot alle gordijnen. Ze bleef klappertandend van angst door een spleet in de gordijnen naar de straat loeren tot ze de wieleman zag aankomen. Hij maakte het tuinhekje open, reed naar het huis en bleef vlak voor het raam staan grijnzen. Op dat moment viel mevrouw Desmet flauw. Toen ze weer bijkwam was de wieleman verdwenen. Ze holde naar de telefoon en belde de politie.

De kinderen waren het bos ingerend. Toen ze eindelijk stilstonden, duurde het even voor ze weer genoeg adem hadden om te praten.

„Wie was die griezel?" vroeg Tibilé.

„De wieleman," zei Adje.

„Jullie hebben gelogen!" riep Cissé. Ze prikte woedend met haar vinger in Olafs borst. „Jij zei dat Adje dat had verzonnen, maar Adje verzint zulke dingen helemaal niet!"

„Jij hield hem zelf ook voor de gek," kaatste Olaf terug. „Jij zei dat de wieleman op een brommer reed."

„Dat is logisch," riep Cissé. „Wie kan nu denken dat er echt iemand bestaat die wielen heeft in plaats van voeten."

„Dat kan niemand bedenken," gaf Olaf toe, „maar daarom wilden wij het niet vertellen. Je zou het toch niet hebben geloofd. Maar nu heb je het zelf gezien."

„Waarom zit hij eigenlijk achter jullie aan?" vroeg Monica.

„Hij wil ons verraden," zei Olaf.

„Hij wil ons aansteken met koudvuur," zei Bart.

„Hij wil ons pakken!" riep Adje.

„We moeten het aan tante Alda vertellen," vond Tibilé. „Zij weet vast wel wat we moeten doen."

De anderen knikten. Via een omweg liepen ze terug naar huis.

Thuis kreeg tante Alda onverwacht bezoek. Ze was even daarvoor wakker geschrokken. Ze had het kruidenboek nog op haar schoot en wist niet hoe lang ze had geslapen. Ze wist zelfs niet of ze wel had geslapen. Het leek net of ze in een droom op reis was geweest. Vaag had ze het gevoel dat ze een heleboel had geleerd over kruiden en toverplanten, maar ze kreeg niet de tijd om daarover na te denken, want er werd keihard gebeld.

De buurvrouw stapte naar binnen zodra Archibalda de deur opendeed. „Waar zijn de kinderen?" riep ze. „Zij hebben het ook gezien. Ze moeten voor me getuigen. Ik ben niet gek. Ik weet best wat ik heb gezien. Die kinderen kunnen het bevestigen."

„Gaat u eerst eens zitten," zei Archibalda. Ze duwde mevrouw Desmet op een stoel. „En vertelt u nu eens rustig wat er is gebeurd."

„Ik bel de politie om een klacht in te dienen en wat denkt u dat die agent zegt? Gaat u eerst maar eens een tijdje slapen, mevrouw. Ik geloof dat u wat veel heeft gedronken. Belt u morgen nog maar eens. Die agent..."

„Die wilde niet geloven wat u vertelde," hielp Archibalda.

„Nee!" kreet de buurvrouw.

„En wat vertelde u dan?"

„Dat er een griezel op wielen achter me aan zat."

„Op wielen?" vroeg Archibalda. „Hoezo op wielen?"

„In plaats van voeten had hij wielen," fluisterde de buurvrouw. Ze was helemaal overstuur. Toen dacht ze weer aan de anderen.

„Waar zijn ze?" riep ze. „Waar zijn die kinderen?"

„Dat zou ik ook wel willen weten," antwoordde Archibalda tamelijk ongerust. Ze had op de klok gezien dat ze zeker anderhalf uur had geslapen. Stukje bij beetje vertelde de buurvrouw wat er was gebeurd.

„Gaat u nu maar rustig naar huis," zei Archibalda, toen ze was uitgepraat. „Ik zal die hele toestand wel eens uitzoeken." Ze gaf de buurvrouw een klopje op haar schouder en duwde haar de deur uit.

Mevrouw Desmet was net weg toen de kinderen thuiskwamen. Ze waren buitengewoon kalm en stil. Ze kuchten wat en schoven met hun voeten. Ze wisten niet hoe ze moesten beginnen. Daarom begon Archibalda zelf maar.

„Mevrouw Desmet was hier net," zei ze. „Die vertelde een raar verhaal."

„Over de wieleman," zei Adje.

„Juist," knikte tante Alda.

„Het is geen raar verhaal," zei Olaf. „Het is echt waar."

„We hebben hem allemaal gezien," vertelde Cissé. „Van heel dichtbij."

„Hij heeft gele tanden en hij lacht vals," riep Bart, „en hij wil ons aansteken met koudvuur. Hij loert op Adje!"

„Nietes," riep Adje. „Hij loert op jou!"

„Stil," zei tante Alda. „Laten we bij het begin beginnen. Wie heeft hem het eerst gezien?"

„Wij," zeiden Olaf en Bart tegelijk.

„Waar?" vroeg tante Alda.

De jongens vertelden van hun avontuur bij de woonwagen en wat er verder was gebeurd.

„Er moet wel een motortje op die wielen zitten," mompelde tante Alda. „Anders kan hij nooit zo snel vooruitkomen op die dingen."

„He ja," zei Olaf. „Daarom kan hij natuurlijk ook tegen de berg op en over hobbelig terrein!"

„Ik zou wel eens willen weten wie de wieleman is," zei tante Alda, „en wat hij precies van plan is."

„Tot nu toe heeft hij niet echt iets slechts gedaan," merkte Monica op. „Hij plaagt alleen maar en hij maakt mensen bang. Hij is een plaaggeest."

„Daar kon je wel eens gelijk in hebben," zei tante Alda.

„Is de wieleman dan een spook?" vroeg Bart.

„Spoken bestaan niet!" riep Cissé.

„Maar ik vind ze wel eng," zei Tibilé. Ze rilde.

„Als het een spook is," zei Olaf, „dan moeten we gewoon doen alsof hij er niet is. Dan verdwijnt hij vanzelf."

„En als het een mens is?" vroeg Bart. „Iemand die ons bang wil maken, wat doen we dan?"

„Als hij weer ergens te voorschijn komt," zei tante Alda, „dan gaan we achter hem aan. Kijken wat hij doet als iemand hem wil vangen. Misschien is hij wel banger voor ons dan wij voor hem."

Bart was meteen enthousiast. „We nemen touwen mee," zei hij. „We binden hem vast aan een boom."

„Voorlopig hebben we hem nog niet te pakken," merkte tante Alda op. „En als het echt een plaaggeest is, dan zal het niet makkelijk zijn om hem te vangen. Ik geloof dat ik nu wat toverdrank moet maken. Dat kan de komende dagen goed van pas komen. Jullie moeten allemaal helpen met het zoeken naar ingrediënten."

„Wat zijn dat?" vroeg Adje.

„Ingrediënten zijn de planten die ik nodig heb om toverdrank te maken," vertelde tante Alda.

Ze pakten een mand vol lekkers en reden in het busje naar een paradijselijk plekje bij de rivier. De brede stroom bewoog hier zo traag dat je alleen aan de drijvende strootjes kon zien dat het water voorbijging. De oevers van de rivier waren begroeid met hoog gras waarin allerlei bloemen bloeiden.

De kinderen renden het veld in. Tante Alda begon heerlijkheden uit de mand uit te stallen op het kleed. Toen alles klaar stond, riep ze de anderen. Ze doken van alle kanten op uit het hoge gras. Cissé en Tibilé hadden bij elkaar klaproosblaadjes op het gezicht geplakt; een rode neus, rode kin en rode wangen. Monica had zich geprikt aan brandnetels. Haar benen zaten onder de rode bulten. Tante Alda stuurde Olaf weg om smeerwortel te zoeken. Hij kwam terug met een tak vol paarse bloemetjes. Tante Alda brak de sappige steel in stukken en wreef zorgvuldig alle bulten op Monica's been in met smeerwortelsap. Monica jammerde. Cissé zuchtte van ergernis.

„Je hebt nog geen toverspreuk gezegd," zei Bart. „Misschien helpt dat beter dan smeerwortel."

„Het is te proberen," gaf tante Alda toe. Olaf zag dat ze stilletjes lachte daarna keek ze weer ernstig en zei op echte tovertoon:

Knibbel knabbel knuistjes
weg met al die puistjes
bobbelbenen worden weer glad
als water op de muskusrat.

„Getsie," griezelde Tibilé. „Zijn die hier, muskusratten?"

„Zeker," antwoordde tante Alda. „Als je er een wilt zien moet je heel stil zijn."

„Mogen we beginnen?" vroeg Cissé. Zij had altijd honger.

Er viel een stilte op de plek bij de rivier. Ze zaten rustig te eten terwijl ze luisterden naar het gekabbel van water tegen de oever, het geruis van de wind in de struiken en het sjirpen van de krekels in het gras.

Olaf keek de hele tijd naar Tibilé. Ze zag er zo grappig uit met de klaproosblaadjes op haar gezicht en het zonlicht in haar zwarte ogen. Hij had een vreemd gevoel in zijn borst. Alsof er een enorme luchtbel zat die omhoog wilde. Hij dacht dat hij weg zou kunnen zweven de blauwe lucht tegemoet. Hij wilde altijd wel zo zitten, met zijn allen bij de rivier en Tibilé precies tegenover hem aan de andere kant van het picknickkleed, maar Adje was klaar met eten.

Hij stond als eerste op en probeerde Cissé mee te krijgen voor een spelletje. Tante Alda zei dat ze nu eerst planten moesten verzamelen: klaproosblaadjes, de gele bloemen van het hertshooi, brandnetelkoppen.

„Geen brandnetels!" riep Monica en ze keek naar haar benen. De rode bulten waren bijna weg.

„En smeerwortel," mompelde tante Alda. „Ik moet de wortel uitgraven en ik heb ook jeneverbessen nodig. Vooruit jongens, aan het werk." Ze pakten de manden en begonnen met de oogst.

's Avonds kwamen ze met manden vol bloemen, blaadjes en wortels weer thuis.

Ze legden buiten een vuur aan en bouwden er met stenen een muurtje om zodat er een grote kookpot op kon staan. De kinderen deden de hertshooibloemetjes in de pot en goten er olijfolie op. De brandnetelkoppen werden gewassen en erbij gedaan. De klaproosblaadjes waren ook voor de toverdrank. Tante Alda stopte allerlei wortels en bessen in de kookpot, die ze zelf had geoogst. Ze mompelde onverstaanbare spreuken. De kinderen mochten om de beurt roeren. Het brouwsel begon net lekker te pruttelen toen mevrouw Desmet de tuin in kwam lopen.

„Ik kwam even vragen of u al iets heeft ontdekt over die man op wielen," zei ze.

„Nog niet," antwoordde tante Alda. „We hebben het vandaag te druk gehad met andere dingen."

„Die kinderen willen toch wel voor me getuigen?" vroeg de buurvrouw. „Ze ontkennen toch niet dat ze die wieleman hebben gezien?"

„Een wieleman," vroeg Bart. „Welke wieleman?" De anderen proestten van het lachen. Mevrouw Desmet draaide zich naar hen om.

„Het is niet netjes om grote mensen voor de gek te houden," zei ze streng tegen Bart.

„Nee, helemaal niet netjes," zei Tibilé met een braaf stemmetje. De anderen gierden van het lachen. Mevrouw Desmet ging met haar rug naar de kinderen toe staan en vroeg suikerzoet aan tante Alda:

„Wat bent u eigenlijk aan het koken?"

„Soep," antwoordde tante Alda ernstig.

„Soep!" gierde Olaf. „Soe-oep!"

„Het moet nog op smaak gebracht worden," ging tante Alda door. „Er ontbreekt nog iets hartigs. Een beetje spuug. Dat moet er nog in. Kinderen, ga je gang, maar denk erom, niet teveel en om de beurt."

Mevrouw Desmet gaf een gesmoorde kreet van afschuw. „U bent... u bent..." begon ze, maar ze stikte in haar woorden en wachtte niet af om te zien of ze echt in de pot zouden spugen. Met kwaaie stappen liep ze de tuin uit. De kinderen hingen tegen elkaar aan te hikken van de lach.

„Nu even serieus," zei tante Alda. „Dat van het spuug was geen grapje. Om de toverdrank kracht te geven, moet er iets van ons allemaal in. Olaf, jij spuugt het eerst, maar

denk erom, een mooi klein kloddertje." Giechelend spuugde Olaf in de pot. Bart spuugde met een grote boog en Adje deed hem na. Cissé en Tibilé spuugden tegelijkertijd. Monica spuugde als laatste.

„Nu moet de drank langzaam afkoelen bij maanlicht," vertelde tante Alda. „En wij gaan vandaag vroeg naar bed want morgen wordt het weer een spannende dag."

„Hoe weet je dat?" vroeg Bart.

„Tovertantes weten alles," antwoordde Archibalda.

Bart stapte voorzichtig uit bed. Olaf en Adje sliepen nog, maar hij was ontzettend wakker. Zijn hele lijf kriebelde alsof er duizend mieren binnen in hem rondwandelden, en buiten zongen de vogels. Hij sloop de slaapkamer uit en maakte de tuindeuren in de woonkamer open. De frisse ochtendlucht kwam hem tegemoet. Hij rilde en liep naar buiten. Overal schitterden dauwdruppels. De zon was net op. Hij liep naar de blauwe sierdistel en ging op zijn hurken zitten kijken naar een groot spinneweb dat ook vol diamanten druppels hing. Het web leek wel een sieraad voor een koningin. Hij probeerde voorzichtig om een kant van het web los te maken, maar de druppels vielen en het web scheurde en er was niets meer over van de schitterende pracht. Er zijn dingen waar je alleen maar naar kunt kijken. Zodra je ze aanraakt zijn ze weg. Net als mooie dromen, die vervliegen ook als je wakker wordt. Terwijl nachtmerries altijd terugkomen.

Bart had vaak nachtmerries. Dan werd hij doodsbang wakker en durfde niet in het donker naar de w.c. Hij maakte Olaf wakker en deed het licht aan. Maar dat hielp niet. Zodra het licht weer uit was en Olaf weer sliep, kwamen de angstdromen terug. Onstuitbaar, als op hol geslagen paarden denderen ze dan door zijn hoofd. Zelfs nu hier buiten, in het zonlicht, kwamen de nachtmerries terug alsof hij ze pas had gedroomd.

Hij keek om zich heen op zoek naar iets moois om de spooksels weg te jagen. Zijn oog viel op een paars papier dat op de vensterbank van de meidenkamer lag. Het leek op een brief. Nieuwsgierig liep hij er heen. 'Aan Vrouw Holle, De oude vlier' stond erop. Bart stak zijn hand uit, maar voor hij hem kon pakken werd de brief opgetild door een windvlaag. Hij dwarrelde omhoog, steeds hoger tot hij een klein lila stipje was geworden. Vlak naast hem streek een merel in het gras neer. Bart keek er even naar, net lang genoeg om het kleine lila stipje helemaal kwijt te raken.

Misschien heb ik het gedroomd, dacht hij en bleef doodstil staan loeren naar de vogel. Die had een wurm te pakken en trok hem met zijn snavel uit de grond. De wurm verzette zich en rekte uit als een elastiekje tot hij tenslotte toch de grond uitschoot. De merel begon hem op te eten. De vogel zag er bepaald tevreden uit, dacht Bart, alsof hij een heerlijk ontbijt had gevonden. Hij keek zelfs met zijn gele kraalogen spottend naar de jongen. Ben je soms jaloers, vroegen die ogen. Op dat moment kwam Adje naar buiten. De merel vloog weg.

„Je moet niet op blote voeten buiten lopen," zei Bart.

„Je doet het zelf ook," antwoordde Adje.

„Dat was even een vergissing," zei Bart. Hij pakte Adje stevig vast en trok hem mee.

„Heb je naar de toverdrank gekeken?" vroeg Olaf zodra ze binnenkwamen. Hij was nog in zijn pyjama.

„Nee," zei Bart. „Dat was ik vergeten." Hij wilde meteen weer naar buiten gaan maar tante Alda hield hem tegen.

„Eerst aankleden," gebood ze. „Daarna gaan we met zijn allen kijken. We hebben hem samen gemaakt en we gaan hem samen in een fles doen."

„Een fles?" vroeg Olaf. „Er is toch veel te veel voor een fles. De pot was bijna helemaal vol."

„Was," zei tante Alda met een lachje. „Ik denk dat er iets verrassends is gebeurd." Olaf ging meteen de meiden wakker maken. Zelf was hij in recordtijd aangekleed.

Tante Alda had inmiddels een bijzonder flesje opgezocht in haar kelder. Het was van gifgroen glas en om de hals zat een zwarte slang geslingerd. Met zijn allen gingen ze naar de kookpot. Van een afstand leek die leeg, maar op de bodem zat toch nog een laagje stroperige vloeistof. Het was moeilijk om te zeggen welke kleur de toverdrank had. Het meeste leek metaalblauw, maar er zaten ook rode, gele en groene glanzen in en bovendien bewoog het alsof de toverdrank nog zachtjes kookte.

„Het is precies zoals het hoort," merkte tante Alda tevreden op. Zonder een druppel te morsen goot ze de toverdrank in de slangefles. Ze deed er een stevige kurk op. Om negen uur, terwijl de oude klok sloeg, zette Archibalda de fles toverdrank op de boekenkast.

De boomgeesten

De blauw-geel-rood-groene vloeistof was zo prachtig dat ze bijna vergaten dat het toverboekentijd was. Tante Alda had het boek al op haar schoot en wachtte tot ze allemaal ergens zaten voor ze het opensloeg. Het nieuwe hoofdstuk heette 'Toverstaf'.

„Die hebben we nog niet," zei tante Alda tevreden. Met luide stem begon ze te lezen.

Toverstaf

Vrouw Hazel, Vrouw Hazel
Hoe staat het met je boom?
Is hazelheg nog veilig?
Is slang nog zo vol schroom?
Voor tovertak,
de wichelroe,
de gids naar schat en bron,
is hazeltak
de toverstaf
waar alles mee begon.
Van hollevlier en wakelboom,
van linde, eik of berk,
doe jij, de toverhazelaar
nog steeds het beste werk.

„Vrouw Holle, Vrouw Hazel. Heben alle bomen een vrouw?" vroeg Tibilé.

„Een geest," antwoordde tante Alda. „Alle bomen hebben een geest, meestal een goede geest die beschermt. Daarom plantten de mensen vroeger een haag van bomen rond hun huis. Om zich te beschermen tegen kwelgeesten, trollen en toverij."

Bart voelde weer allerlei nachtmerries in zijn hoofd komen, maar tante Alda gaf hem geen tijd om na te denken. Ze ging door met haar verhaal.

„Als ze vroeger een boom omhakten, maakten ze vlug een kruis in de stronk die overbleef, zodat de boomgeest erin gevangen zat en niet kon gaan dwalen. In die tijd vroegen de mensen ook nog fatsoenlijk toestemming aan de boom, als ze hem wilden gaan omhakken. Nu komen ze gewoon met een motorzaag en beginnen. Een man met zo'n snerpend lawaaiapparaat wint in een paar minuten de strijd met een woudreus die tien keer ouder is dan hij en vele malen sterker. Maar om op de boomvrouwen terug te komen, behalve Vrouw Holle van de vlier en Vrouw Hazel van de hazelaar zijn er ook nog Frija van de linde en Vrouw Kranewit van de wakelboom. De wakelboom is een jeneverbes en wat er bij Vrouw Kranewit kan gebeuren! Dat zal ik jullie in de toverspiegel laten zien."

„En de toverstaf?" vroeg Bart.

„Die moeten we met grote zorg en gepaste eerbied plukken," antwoordde Archibalda. „Hoe precies dat weet ik nog niet. Daar moet ik over denken. Kom mee, we gaan eerst naar de vijver."

Ze gingen rond de vijver zitten, elk op hun eigen plaats. Archibalda begon de spiegeltekst op te zeggen.

„Tranen, keitjes, kringen rond..." Het water begon te rimpelen. De kinderen bogen voorover om de bodem beter te kunnen zien. Dit keer verscheen er een bloeiende heide met een klein huisje. Het strooien dak was zwart van ouderdom. Naast het huisje stond een jeneverbes van tweeduizend jaar oud. Onder de boom zat een oude man te huilen. Er kwam een jongen aanlopen die bij hem bleef staan en vroeg wat er was.

„Ik heb op mijn kop gehad van mijn vader," huilde de oude man. De jongen begon te lachen. Zo'n oude man kon toch helemaal geen vader meer hebben, dacht hij.

Maar op dat moment ging de deur van het huisje open en een nog veel oudere man kwam naar buiten.

„Weet je wat het is?" zei hij. „Mijn zoon kan het maar niet laten om zijn opa te plagen. Ik heb hem al zo vaak gezegd dat opa oud is en dat hij hem met rust moest laten."

„Zijn opa," stamelde de jongen, „maar dat is uw vader. Hoe oud is die dan?"

„Bijna duizend jaar," antwoordde de oudere man.

„Dat kan niet," zei de jongen beslist. „Mensen kunnen geen duizend jaar oud worden." De zoon begon te lachen.

„Als je het geheim maar kent," giechelde hij. „Eet elke dag wat jeneverbessen en je hebt het eeuwige leven."

De jongen keek naar de tweeduizend jaar oude wakelboom en geloofde het niet van die bessen. Die oude mensen zouden wel een geheim hebben, maar dat was vast iets veel toverachtigers dan gewone jeneverbessen, dacht hij.

„Je bent een eigenwijs baasje," zei de vader. „Ik zal je iets vertellen dat meer dan duizend jaar geleden gebeurd is, hier onder de wakelboom. Mijn vader heeft het meegemaakt. Voor wij in dit huisje woonden..."

Het water begon te beven. De oude man vervaagde en het water werd weer helder. Het huisje was nu splinternieuw. De wakelboom was veel dunner dan daarnet. Duizend jaar dunner.

Er kwam een jonge vrouw uit het huisje. Er lag sneeuw en het was koud, maar de vrouw merkte het niet omdat ze zo droevig was. Ze wilde vreselijk graag een kind. Al jaren verlangde ze er naar, maar haar wens werd niet vervuld. Ze kon er bijna niet van leven. Droevig liep ze door de sneeuw naar de wakelboom en leunde tegen de ruwe stam. Vrouw Kranewit die in de wakelboom huisde, kreeg medelijden en fluisterde de vrouw in haar oor:

„Kijk, je bent gewond." De vrouw zag dat ze haar hand had opengehaald aan het schors. Haar bloed druppelde op de witte sneeuw aan de voet van de boom. Vrouw Kranewit fluisterde:

„Voor het jaar om is zal je een zoontje hebben. Een jongetje zo blank als sneeuw en met wangen zo rood als jouw bloed."

De vrouw was op slag gelukkig. Ze rende naar het huisje om haar man het goede nieuws te vertellen.

Toen het jongetje werd geboren, was de vrouw zo buiten zinnen van geluk, dat ze stierf van blijdschap. De man huilde drie dagen en nam toen een andere vrouw om voor zijn zoontje te zorgen. De andere vrouw kreeg al vlug een dochtertje. De jongen en het meisje waren dol op elkaar. Het jongetje deed niets zonder zijn zusje en het meisje liep altijd achter haar broer aan. De vrouw kon niet uitstaan dat de vader van alle twee de kinderen evenveel hield. Daarom bedacht ze een plan om het jongetje te doden.

Toen hij een keer alleen thuis kwam, zei ze:

„Ga eens wat appels uit de appelkist halen." Toen de jongen voorover gebogen stond met zijn hoofd in de appelkist, sloeg ze het deksel met zo'n klap dicht dat zijn hoofd van de romp werd geslagen en tussen de appels rolde. Ze schrok vreselijk van wat ze had gedaan. Daarom bracht ze de jongen naar buiten en zette hem op een stoel voor het huisje. Zijn hoofd zette ze weer op de romp en ze bond een sjaal om zijn hals zodat je niet meer zag wat er was gebeurd.

Het meisje kwam even later thuis.

„Broertje ziet zo raar wit," zei ze tegen haar moeder. „En hij wil me geen antwoord geven."

„Als hij niets wil zeggen, schud je hem maar eens flink door elkaar," antwoordde de moeder.

Zodra het meisje haar broertje schudde, viel zijn hoofd er natuurlijk af. Het arme kind dacht dat ze haar broertje had vermoord.

's Avonds zei de vrouw tegen de man dat de jongen op reis was gegaan om de wereld te ontdekken. De vader vond dat raar omdat zijn zoon geen afscheid had genomen. Ondertussen had de moeder het jongetje in stukken gesneden en gekookt. Ze deed er een lekker sausje overheen en zette de schaal met het gekookte broertje op tafel. De vader at ervan en hij vond het vlees zo lekker dat hij alles voor zichzelf wilde houden. De anderen mochten er niets van proeven. Hij gooide de afgekloven botjes onder tafel.

Na het eten ging de vader slapen en het meisje raapte de botjes op en deed ze in een zijden doek. Ze legde de doek met broertjes botjes onder de wakelboom en toen gebeurde er iets wonderlijks. Er kwam een wolk om de boom, daarna schoot er een vuur omhoog. Uit het vuur vloog een prachtige vogel. Toen de wolk weer verdween, was de doek ook weg. Het zusje voelde zich lang zo droevig niet meer.

De vogel vloog naar de stad en ging zitten zingen op het dak van de goudsmid.

Mijn moeder heeft me gekookt,
mijn vader heeft van me gesmuld,
mijn zusje heeft botje bij botje gelegd.
Ik kwam in een zijden doek terecht
precies onder de wakelboom.
Nu ben ik een vogel zonder schroom.

De goudsmid vond het vogellied hemels. Hij wilde het nog eens horen maar de vogel zei: „Ik zing geen twee maal voor niets." Toen gaf de goudsmid hem een gouden ketting en de vogel zong nog eens. Daarna ging hij naar het huis van de schoenmaker en zong:

Mijn moeder heeft me gekookt,
mijn vader heeft van me gesmuld,
mijn zusje heeft botje bij botje gelegd.
Ik kwam in een zijden doek terecht

precies onder de wakelboom.
Nu ben ik een vogel zonder schroom.

En de schoenmaker gaf hem een paar rode schoentjes om hem nog eens te laten zingen. Daarna vloog de vogel naar de molenaar en zong zijn lied. De molenaar beloofde de vogel een molensteen als hij alsjeblieft dat prachtige lied nog eens zou zingen. Tenslotte vloog de vogel naar zijn eigen huis terug en ging op de dakgoot ziten zingen, precies boven de deur.

Mijn moeder heeft me gekookt,
mijn vader heeft van me gesmuld,
mijn zusje heeft botje bij botje gelegd.
Ik kwam in een zijden doek terecht
precies onder de wakelboom.
Nu ben ik een vogel zonder schroom.

De vader hoorde de vogel zingen en ging naar buiten om het lied beter te kunnen horen. Precies toen hij door de deur kwam, liet de vogel de gouden ketting over zijn hoofd glijden. Het zusje kwam achter de vader aan naar buiten. De vogel liet de schoentjes voor haar voeten vallen.

Binnen voelde de vrouw zich steeds ellendiger. Het lied klonk haar afschuwelijk in de oren. Ze kreeg het er benauwd van. Alsof ze zou stikken, zo benauwd. Ze rende naar buiten voor wat lucht en toen liet de vogel de molensteen precies boven op haar vallen. Ze was onmiddellijk morsdood.

Zodra hij naast zijn zusje op de grond stond, veranderde de vogel weer in een jongen. Het water beefde spiegelend zodat de kinderen opeens zichzelf zagen.

Bart sloeg met zijn vlakke hand de waterspiegel stuk.

„Net goed voor dat rot mens," riep hij. „Net goed!"
Tante Alda rekte zich uit. Ze was helemaal stijf geworden van het op de grond zitten. „Wie wil er een glas limonade?" vroeg ze. Alle kinderen liepen met haar mee naar de keuken, behalve Monica. Ze bleef bij de vijver zitten en mompelde:

„Misschien had ik ook wel een broertje. Maar ik wist het niet van die botjes."

Terwijl de anderen hun limonade dronken, zat tante Alda druk te schrijven. Olaf probeerde te spieken. Hij zag dat boven aan haar blaadje stond:

Zeven manieren om een toverstaf te plukken

1. *Loop naar een hazelaar en pluk een tak*
2. *Doe een blinddoek voor, loop tot je denkt dat je bij een toverhazelaar bent en breek de eerste tak af die je tegenkomt*
3. *Vraag een elf om een tovertak voor je te plukken. (vraag: waar vind je een elf?)*
4. *Bestel een toverstaf bij Termeulen post*
5.

Tante Alda begon op haar pen te knagen en keek naar Monica die de keuken inkwam. Bijna tegelijkertijd ontdekte ze dat Olaf zat te loeren.

„Je mag het wel lezen," zei tante Alda, „als je dan ook maar helpt om nog meer manieren te verzinnen om een tovertak te plukken."

„Ik weet een goede," riep Tibilé. „Slik drie kakkerlakken levend door. Sluip achter een zwarte kat aan tot je bij een hazelaar bent. Kijk welke tak de meeste luizen heeft. breek die tak af en lik hem schoon. Leg hem drie nachten in de maneschijn."

„Bluuh!" riepen de anderen.

„Hoe komen we aan kakkerlakken?" vroeg tante Alda.

„Bij ons thuis stikt het ervan," vertelde Tibilé.

„Dan is het bij jullie thuis zeker heel vies," zei Bart.

„Dat heeft er niets mee te maken," antwoordde Cissé. „In nieuwe, schone huizen zijn ook kakkerlakken en in deftige hotels. Overal in de stad zijn die beesten. Zal ik vragen of mijn moeder er een paar opstuurt?"

„Liever niet," zei tante Alda. „Stel je voor dat er een ontsnapt. Dan zit mijn huis zo vol met die beesten. Ik heb het al moeilijk genoeg met spinnen, oorwurmen, pissebedden en andere torren. Vooral aan het eind van de zomer komen die als een leger het huis in. Als jullie me dan eens zagen!"

Tante Alda greep een theedoek en bond die om haar hoofd. Daarna haalde ze een bezem uit de kast. Ze nam hem onder haar arm als een lans en draafde als een paard door de woonkamer. „Beeft, torren en onderkruipsels!" riep ze. „Vreest de ridster van de geblokte lap, vlucht voor de onoverwinnelijke bezem, erkent de wet van de spinvrije burcht, ren voor uw leven als het u lief is!"

Tante Alda draaide en zwaaide met haar bezem. Hij zwiepte akelig dicht langs de hoofden van de kinderen. Ze doken weg om het gevaarlijke wapen te ontwijken. Toen sloeg de bezem met een vaart tegen een grote vaas die in duizend stukken brak. Tante Alda stopte abrupt haar gevecht en keek naar de scherven roze porselein op de grond.

„Gelukkig," riep ze. „Die is eindelijk kapot!" Bart begon te lachen. „Ik zal jullie een geheim verklappen," zei tante Alda. „Ik vond dat ding van het begin af aan foeilelijk."

„Waarom had je hem dan in je kamer staan?" vroeg Cissé.

„Omdat ik hem heb gekregen van een goede vriend die hier vaak komt. Hij vond die vaas prachtig. Ik wilde hem niet teleurstellen en daarom heb ik nooit gezegd hoe lelijk ik dat ding vond, maar nu is hij gelukkig stuk. Hiep hiep hiep..."

„Hoera!" brulden de kinderen.

Tante Alda veegde de brokken bij elkaar en gooide ze in de vuilnisbak. Peinzend keek ze naar de theedoek en de bezem.

„Waarom loop ik eigenlijk met die dingen rond?" vroeg ze toen.

„Omdat je op spinnejacht was," zei Bart.

„Omdat we het over kakkerlakken hadden," vertelde Cissé.

„Omdat we een manier bedachten om de toverstaf te plukken," voegde Tibilé er aan toe.

„O ja," zei tante Alda. „We hebben nog steeds maar vijf manieren bedacht. Eigenlijk is dat ook wel genoeg. Laten we kiezen welke van de vijf oplossingen we nemen. Dat met die kakkerlakken is te gevaarlijk. Als we een toverstaf bestellen per post, dan duurt het te lang voor we hem hebben. Aan een elf vragen kan ook niet, want waar vind je een elf? Gewoon plukken lijkt me niet eerbiedig genoeg. Dus blijft manier nummer twee over."

Ze bond de theedoek voor haar ogen als een blinddoek. Met haar handen vooruit liep ze voorzichtig naar de tuindeuren. Ze struikelde over de drempel. Even later liep ze toch als een blindeman door de tuin. De kinderen volgden haar. Ze duwden elkaar opzij en riepen: „Voorzichtig" en „Kijk uit" als tante Alda bijna ergens tegenop liep.

Bij het buurhuis stond mevrouw Desmet voor het raam te mompelen. „Gek is ze. Stapelgek." Maar niemand lette op haar.

Op de tast liep Archibalda de tuin uit en het bos in. Ze

ging zomaar het struikgewas in. Soms bleef ze staan, aarzelde, maar telkens liep ze toch door. Eindelijk bleef ze staan bij een hoge hazelaar. Het was meer een bosje van zeven stammen vol prachtige takken. Archibalda pakte een tak en brak hem moeiteloos af. Het ging zo gemakkelijk dat het leek alsof de boom zelf de tak al had losgelaten.

„Dit is hem," zei tante Alda plechtig. Ze deed de theedoek af en bekeek de tak. Hij zag er heel gewoon uit. Toch wist ze zeker dat het precies de goede was. Ze zwaaide ermee door de lucht en glimlachte tevreden. Toen stak ze de toverstaf in haar mouw.

„Wat gaan we nu doen?" vroeg Bart vol verwachting.

„Wat willen jullie doen?" vroeg tante Alda.

„In bomen klimmen," zei Olaf.

„Met lianen spelen," riep Cissé.

„Kan dat?" vroeg Bart. „Zijn hier wel lianen?"

„Zeker," antwoordde tante Alda. Ze nam de kinderen mee naar een helling vlakbij het dorp. Daar was het bos ontzettend verwaarloosd. De klimop, bosranken en wilde clematis groeiden overal. De bomen waren helemaal omwonden met een netwerk van taaie ranken vol groen blad, zwarte bessen en groen-witte bloemetjes. Overal hingen slierten omlaag als dikke touwen.

Het was een akelig gezicht, al die verstikte, gewurgde bomen, maar de kinderen zagen alleen de lianen die uitnodigend tot op de grond hingen. Ze renden erop af en even later zwaaiden ze als zes kleine tarzannetjes van de ene boom naar de andere.

Tante Alda ging op een zonnig plekje onder een boom zitten kijken. Ongemerkt stopte ze haar hand in haar mouw en voelde aan het toverstokje. Het leek gladder en steviger dan eerst. Het was heel prettig om het vast te houden. Het duurde even voor Archibalda merkte dat ze

zat te luisteren naar een gulzig gesmak en gesmikkel. Een zacht zuigen klonk overal om haar heen. Ze vroeg zich af welke vreemde wezens dit merkwaardige geluid konden maken, want nergens was een dier te zien. En de kinderen maakten zoveel lawaai, dat het eigenlijk een wonder was dat ze het zachte gesmak opmerkte. Pas toen ze ook nog een gekreun hoorde dat duidelijk uit de boom achter haar kwam, begreep Archibalda dat ze de planten hoorde. Het gesmikkel van de klimplanten die gulzig de levenssappen uit de bomen zogen. Het droevige gesteun van de bomen die leden.

Opeens verwachtte Archibalda dat ze ook de dieren zou kunnen verstaan en de elfen zou kunnen horen die - naar men zegt - 's morgens heel vroeg zingen en muziek maken. Ze werd helemaal opgewonden van het idee. Ze voelde dat ze het toverstokje nog steeds vasthield. Zou het daardoor komen dat ze... Voorzichtig liet ze het los en haalde haar hand uit haar mouw. Ze luisterde zo goed ze kon, maar ze hoorde alleen nog de kinderen die lachten en gilden van opwinding als ze door de lucht zwierden.

Archibalda was bang dat ze de planten nooit meer zou kunnen horen, maar zodra ze het toverstokje weer tussen haar vingers voelde, was er weer het geritsel en gesmak, het gefluister en gekreun van klimop en bomen, de opgeluchte zucht van een klein plantje dat opveerde toen ze haar been verlegde.

Zolang de kinderen speelden, bleef Archibalda luisteren naar het gelispel van het plantenrijk. Hoe langer ze luisterde, hoe meer ze hoorde. Ze merkte niet dat de kinderen niet meer in de ranken hingen. Die stonden in een kringetje met hun hoofden naar elkaar toegebogen en maakten een plan. Even later kwamen ze met een vreselijk krijgsgehuil op tante Alda af. Ze pakten haar op bij armen en benen en droegen haar naar een plek waar drie lianen klaar lagen. In een wip was ze er helemaal ingerold. Ze zag eruit als een worst in een netje en smeekte om genade, vroeg wat ze had misdaan.

„Niets," lachten de kinderen, „we hebben je zomaar gevangen en nu moet je een losprijs betalen."

„Ik heb geen goud en juwelen," waarschuwde tante Alda.

„We willen ook geen goud of juwelen!" riepen de kinderen. „We willen ijs. Borden vol ijs, teilen vol ijs!"

„Dan moeten we naar de Italiaanse ijsssalon," merkte tante Alda op. „Maar dat kan alleen als jullie me losmaken."

De kinderen pakten de einden van de lianen en rolden Archibalda af als een klos garen. Toen ze op haar benen stond, was ze helemaal duizelig en liep alsof ze dronken was. Daar moesten de kinderen om lachen en ze deden ook alsof ze hadden gedronken. Ze zwalkten naar huis en klommen lallend in het busje.

Achter de gordijnen stond mevrouw Desmet zich op te winden omdat het een schande was.

„Mijn moeder maakt altijd zelf ijs," vertelde Bart, toen hij halverwege zijn aardbeiensorbet was. Hij likte zorgvuldig zijn lepel af voor hij verder ging. „Aardbeien en chocoladeijs. Dat is het lekkerst."

„Nee, vanille en mokka," zei Olaf. „Dat is pas lekker."

„Ja, mokka!" riep Adje. „Ik heb ook mokka."

„Jij hebt pistache," zei Bart. „Kijk maar, het is groen."

„Echt niet," hield Adje vol. „Het is mokka, he Olaf."

„Ja," zei Olaf. „Het is groene mokka, speciaal voor Adje gemaakt." Cissé begon te lachen.

„Waarom lach je?" vroeg Adje argwanend.

„Nergens om," zei Cissé. „Weet je, mijn moeder koopt

altijd maar één soort ijs, want we hebben geen koelkast. Het lekkerst vind ik passievruchtenijs."

„En ik kokosijs," zei Tibilé.

„En jij?" vroeg Adje aan Monica.

Ze keek op van haar ijsje waarin ze zat te roeren. Haar antwoord sloeg nergens op. „Ik ga nooit meer terug," zei ze. „Nooit meer." Er viel een akelige stilte. Niemand durfde nog iets te zeggen omdat de stem van Monica zo eng had geklonken, alsof er metaal in zat.

„Ik dacht dat jullie teilen vol ijs wilden," zei tante Alda tenslotte. „Jullie krijgen niet eens jullie glazen leeg. Vooruit kinderen, eten!"

Opgelucht begonnen ze allemaal in hun ijs te roeren, te prikken en te lepelen. Alleen Bart en Cissé kregen hun glas leeg. Toen ze de ijssalon uitliepen, zei Olaf:

„Zulke grote ijsjes krijg je nergens anders!"

De list van de wieleman

Toen Bart in bed lag, dacht hij nog eens aan alles wat hij die dag had gezien. Het spinneweb met diamanten, de paarse brief, de merel met de wurm, het jongetje dat werd opgegeten. Vlug dacht hij aan de lianen en het ijs en aan tante Alda die de vaas kapot zwiepte met haar bezem. En aan het toverstokje. Ze had het nog niet gebruikt. Wat zou ze ermee gaan toveren? Stel je voor dat een van hen morgen een ongeluk kreeg en doodging. Zou tante Alda hem dan weer levend kunnen toveren?

Bart dacht vaak aan de dood, maar hij droomde er nooit over. Hij had wel gedroomd van een schaal met gekookte handjes en afgekloven jongensbotjes onder de tafel en een hoofd dat tussen de appels rolde. Hij kreeg het er warm van en daarna koud. Hij kon echt niet in bed blijven. Naast hem lag Olaf te snurken en Adje sliep ook. Onder de kamerdeur door scheen licht. Tante Alda was nog wakker.

Zachtjes kwam Bart uit bed en sloop de slaapkamer uit. In de gang zag hij tante Alda staan. Ze gluurde door een kier van de kamerdeur. Zodra ze hem hoorde, legde ze haar vinger op haar mond en wenkte hem.

Zachtjes sloop Bart naar haar toe en gluurde ook. Eerst zag hij niets. Toen legde tante Alda haar hand op zijn schouder en opeens zag hij de dwerg.

Het was een merkwaardig mannetje met een lange baard en puntoren. Hij droeg een broek die te lang was. De pijpen sleepten over de grond en hij struikelde steeds. „Hola!" riep hij dan en hij greep zich aan iets vast. Hij scharrelde rond bij de boekenkast. Tot dan toe was hij piepklein geweest, maar opeens begon hij te groeien tot hij groot genoeg was om bij het toverboek te kunnen.

Hij pakte het en droeg het naar de salontafel. Daar kromp hij weer, voor hij uit de gereedschapskist die op de grond stond een pen en inkt pakte. Hij sloeg het boek open, las hier en daar een stukje tot hij bij de eerstvolgende lege bladzijde kwam. Toen doopte hij zijn pen in de inkt en zette de punt op het papier. Zo bleef hij zitten. Hij krabde in zijn baard. Er zaten diepe denkrimpels in zijn voorhoofd, hij zuchtte.

„Potdikke," mompelde hij toen. „De boel zit weer door elkaar." Hij legde zijn pen neer en pakte zijn hoofd met beide handen vast. Hij schudde het flink heen en weer. Daarna draaide hij het achterstevoren en weer terug. Hij danste op en neer en ging tenslotte op zijn hoofd staan waarbij hij zichzelf met een hand flink om de oren sloeg.

Bart begon te giechelen. Tante Alda siste waarschuwend. „Als hij ons ontdekt, verdwijnt hij," fluisterde ze.

Bart hield zijn lachen in maar toen de dwerg de punt van zijn baard in de inktpot doopte alsof het en pen was, toen proestte hij het uit. Tante Alda haalde haar hand van zijn schouder. Plotseling was de dwerg verdwenen. Bart hield verbaasd op met lachen. „Hij is weg," fluisterde hij.

„Welnee, hij is er nog," fluisterde tante Alda terug. „Beloof je om niet meer te lachen?" Bart knikte. Tante Alda legde haar hand weer op zijn schouder. Meteen zag hij de dwerg die nu naarstig zat te schrijven in het grote toverboek. Af en toe keek hij ongerust naar de gangdeur alsof hij wist dat ze daar stonden te gluren.

„Het is onrustig vannacht," mompelde hij. „Dat mensenvolk heeft het huis de hele dag voor zich alleen en het gunt een keurige huisdwerg niet eens een rustige nacht. Hab, hab, hab, o nee, ik bedoel, bah, bah, bah! Ziezo, die klus is ook weer klaar." Hij sloeg het toverboek dicht, groeide een flink eind en zette het boek in de kast. Daarna kromp hij helemaal tot hij zo klein was als een muis.

„Wat vermoeiend is dat gegroei en gekrimp," zuchtte hij. „Waarom maken mensen alles zo groot. Klein is veel fijner, zeg ik altijd." Hij liep naar een hoek van de kamer en verdween onder het bureau dat daar stond. Tante Alda haalde haar hand van Bart zijn schouder, want er was toch niets meer te zien. Ze stopte het toverstokje weg in haar mouw.

„Lollig he, dat mannetje," zei ze. „Ik heb hem net ontdekt. Ik wist helemaal niet dat we hier een huisdwerg hadden." Al pratende bracht ze Bart terug naar bed. Hij kroop onder het dekbed en deed zijn ogen dicht. Nog voor tante Alda de kamer weer uit was, sliep hij.

De volgende dag vertelde hij aan Olaf en Adje hoe leuk

hij had gedroomd over een dwerg met een lange baard en puntoren die in het toverboek schreef.

,,Weet je zeker dat je hebt gedroomd?'' vroeg Olaf. ,,Het kan best echt gebeurd zijn. Iemand moet toch in het boek schrijven, dat kan best een dwerg zijn.''

,,Welnee,'' hield Bart vol. ,,Ik heb gedroomd. Dat weet ik zeker.'' Maar toen hij om klokslag negen uur vlak naast tante Alda stond, zag hij dat er bij het nieuwe hoofdstuk kriebelige inktvlekjes zaten, net alsof daar de punt van een inktbaard had gehangen. Het nieuwe hoofdstuk heette:

Tovertijd

Einstein heeft het uitgedacht,
terwijl geen mensenoog ooit zag,
dat tijd dichtbij
en tijd ver weg,
dat sprookjestijd en vroeger tijd,
dat toekomst en vandaag,
soms sneller gaan
of slomer juist.
Wie weet, het is een vraag,
hoe lang de tijd duurt.
En geen klok die echt de uren telt,
want kijk maar eens, in akeligheid
duurt een uur soms dagen, jaren,
terwijl geluk niet half zo lang
duurt als men zich wel wensen kan.
De mooiste tijd,
de snelste tijd,
de tijd die lang mag duren,
is altijd nog de sprookjestijd.
Ik zie jullie heus wel gluren!

Bart schoot in de lach bij de laatste zin en tante Alda zat ook te grinniken.

„Zie je wel dat het echt is gebeurd!" riep Olaf. Cissé, Tibilé en Monica wilden natuurlijk weten waarover ze het hadden. Bart vertelde over de huisdwerg. Cissé rende onmiddellijk naar het bureau en ging op haar buik liggen om te zien of ze de ingang van het dwergenverblijf kon ontdekken. Ze wilde zelfs het meubel van zijn plaats trekken, maar tante Alda zei dat ze het manneke met rust moest laten.

„Hij is zo vriendelijk geweest om niet te verdwijnen toen we hem gisteren bespiedden. Nu heeft hij zijn rust verdiend. Anders gaat hij misschien nog verhuizen. En dat zou jammer zijn," zei ze.

„Denk je dat hij nu naar ons zit te gluren?" vroeg Olaf. Hij boog voorover tot hij met zijn neus vlak bij de grond was en riep:

„Ik zie je heus wel gluren!" De anderen schoten in de lach tot Tibilé riep:

„O kijk, daar staat hij!" Ze wees naar de ramen aan de voorkant.

Het was niet de dwerg die daar stond maar de wieleman, levensgroot en vals grijzend. Hij strekte zijn handen naar hen uit alsof hij ze dwars door het glas heen wilde grijpen. Allemaal tegelijk deinsden ze achteruit, maar tante Alda bleef staan zodat ze opeens helemaal alleen tegenover de wieleman stond. Ze stak strijdlustig haar kin in de lucht en liep naar het raam. Voor ze het open had kunnen maken, draaide de wieleman zich om en verdween.

„Kom mee," riep tante Alda. „We gaan achter hem aan!" In het voorbijgaan greep ze de toverdrank van de kast en voelde in haar mouw of ze het toverstokje wel bij zich had. Daarna draafde ze aan het hoofd van een klein kinderleger achter de wieleman aan. Af en toe raakten ze hem bijna kwijt. Dan opeens leek het of hij niet meer zo snel vooruitkwam. En als ze hem dan bijna hadden ingehaald, schoot hij vooruit als een raket.

„Volgens mij heeft hij een straalmotor op die wielen," hijgde Olaf. Tante Alda mompelde dat hij op een vogel leek die deed alsof zijn vleugel lam was. Deed alsof, benadrukte ze nog eens.

„Als je het mij vraagt, is het een list," zei ze. „Hij lokt ons ergens heen." Tibilé bleef staan.

„Schiet nou op," zei Olaf, maar Tibilé schudde haar hoofd en verzette geen stap meer. Olaf waarschuwde tante Alda die stopte met rennen, de anderen remden ook. Langzaam kwam Tibilé naar hen toe lopen.

„Als het een list is," zei ze, „dan moeten we juist niet achter hem aan gaan."

„Moet je horen," begon tante Alda, „hij denkt dat hij slim is. Hij weet niet dat wij doorhebben dat het een list is. We zijn erop verdacht, begrijp je, dus er kan ons niets gebeuren. We gaan alleen maar achter hem aan zolang het niet gevaarlijk is en zolang we niet te ver van huis dwalen."

Tibilé keek aarzelend naar de wieleman. Die was ook blijven staan. Hij repareerde zogenaamd iets aan zijn linkerwiel.

„Weet je zeker dat er niets kan gebeuren?" vroeg ze.

„Een mens weet nooit iets zeker," antwoordde tante Alda. „Maar de kans dat we in moeilijkheden raken is gering."

„Wat is gering?" vroeg Adje.

„Weinig, niet veel, niet groot," antwoordde Olaf ongeduldig.

„Is het niet veel of niet groot?" hield Adje aan.

„Ooooh," riep Olaf getergd. „Het is allebei."

„In ieder geval denk ik dat we het er wel op kunnen wagen," zei tante Alda. „Maar jullie moeten het er allemaal mee eens zijn en we moeten bij elkaar blijven, wat er ook gebeurt. Hoor je dat, Adje. Je moet bij ons blijven."

„Dat doe ik toch altijd," zei Adje.

„En zodra er iets moeilijks gebeurt geven we elkaar een hand," zei tante Alda. „Samen zijn we sterker, begrijpen jullie dat?" Ze knikten allemaal ernstig.

„Hij gaat ervandoor!" riep Bart, die de wieleman steeds in de gaten had gehouden.

„Hij mag niet ontsnappen," zei tante Alda. „Rennen!"

De wieleman bracht hen regelrecht naar de oude steengroeve. Olaf en Bart waren daar wel eens geweest, maar tante Alda had hun streng verboden om de gangen in te gaan. Vroeger, toen er nog steen uit de groeve werd gehaald, waren de gangen betrouwbaar. Ze liepen heel ver door onder de grond, van het ene dorp naar het andere. Meestal kwamen ze uit bij een kasteel of een abdij. Nu was het levensgevaarlijk onder de grond. Het was er gedeeltelijk ingestort en de rest was gammel.

De wieleman verdween in de grote ruimte bij de ingang. Tante Alda en de kinderen bleven buiten staan en tuurden het donker in. Toen hun ogen aan het duister gewend raakten, zagen ze dat de wieleman vlak bij hen stond. Hij maakte vreemde bewegingen, trok zijn ene wiel los van de grond, zette het neer en trok daarna het andere wiel omhoog. Het leek of hij vastzat. Tante Alda liep voorzichtig naar hem toe, met de kinderen achter haar aan. Toen ze vlak bij hem waren, verdween de wieleman. Het ene ogenblik stond hij nog zo raar te dansen en een moment later was het alsof hij -flop- door de grond werd opgezogen. Zoals een stofdoek verdwijnt in de bek van een stofzuiger, dacht Olaf.

„Hoe kan dat nou?" vroeg Adje. Hij ging op zijn hurken zitten kijken naar de plaats waar de wieleman was verdwenen. Er was alleen een klein lichtpuntje alsof er door een piepklein gaatje licht scheen. Adje stak zijn vinger uit om aan het lichtende gaatje te voelen.

„Niet doen!" riep tante Alda nog, maar het was al te laat. Adje floepte de grond in en was verdwenen.

Vol afgrijzen staarden ze allemaal naar het kleine gaatje.

„Wat vreselijk," kreunde tante Alda. „Hoe vinden we hem weer terug. Er is maar één manier. Geef elkaar allemaal een hand. Daar gaan we!" Ze stak haar eigen vinger uit naar het gaatje en de hele sliert kinderen verdween achter tante Alda aan, de grond in. Het deed niet zeer, het was alleen alsof het ontzettend hard waaide. De wind trok aan hun kleren en hun haren tot ze terechtkwamen op iets zachts. Het veerde en was glad en koel. Het leek alsof ze in een pot gel lagen, doorzichtige lila gel, die verrukkelijk geurde naar viooltjes, lelietjes-van-dalen en anjers.

Ze lagen op een lila gel-stroom en Monica had het gevoel dat ze in een droom terecht was gekomen. Het was prettig. Ze zou zo altijd wel willen blijven drijven. Ze merkte dat ze Tibilé's hand nog steeds vasthield. De anderen hadden elkaar nog steeds vast en allemaal keken ze vooruit in de richting van de taaie trage stroom om te zien of ze Adje zagen.

Monica voelde zich schuldig. Ze was helemaal niet bezorgd om Adje. Het was hier zo heerlijk. Er kon nooit iets akeligs gebeuren. Waar Adje ook was, het ging vast goed met hem. Als ze kon kiezen, zou ze niet verder mee drijven met de anderen, maar hier blijven. Voorgoed. Ze voelde dat Tibilé haar hand steviger vastpakte zodat ze de kans niet had om af te drijven. Ze snoof de heerlijke geur op. Ze werd er licht van in haar hoofd. Ze deed haar ogen dicht en dacht nergens meer aan.

„Monica slaapt!" riep Tibilé naar tante Alda.

„Laat haar vooral niet los," antwoordde tante Alda, „want dan is ze verloren."

„Ik voel me zo duizelig," klaagde Cissé.

„Ik ook," zeiden Bart en Olaf.

„Het is de geur," zei tante Alda. „Die maakt ons zweverig. Probeer om zo min mogelijk in te ademen. Ik weet het niet zeker, maar deze gang vol gel doet me heel erg denken aan de slokdarm van een groot beest." Tibilé gilde en sloeg haar handen voor haar ogen om de slokdarmtunnel niet meer te hoeven zien.

„Grijp haar," riep tante Alda naar Olaf die het dichtste bij haar was.

Alhoewel ze langzaam vooruitkwamen trok de gelstroom hen razendsnel uit elkaar, zodra ze elkaar loslieten. Het lukte Olaf nog net om Tibilé's voet te pakken en Tibilé kreeg Monica's haar in handen. Ze trok voorzichtig maar Monica voelde niets. Ze liet gewoon met zich sollen.

„Waar is Adje nou!" riep Bart klaaglijk.

„Ergens voor ons, denk ik," antwoordde tante Alda, want ze wilde niet zeggen dat Adje misschien heel ergens anders terecht was gekomen. Ze hoopte maar dat het niet zo was. Ze hoopte dat Adje gewoon sneller vooruitkwam omdat hij lichter was. Ze hoopte... Haar gedachten werden vager en lichter. Tenslotte kon ze niet meer denken. Net als de anderen liet ze zich gewoon meedrijven op de lila gel. Het leven was opeens zo rozig en luchtig.

Ze reisden in zeepbellen en op ballonnen van spinrag naar hogere sferen, alsof ze niet meer op aarde waren, maar in een soort luchtig paradijs. Ze hoefden niet te denken, niet te doen, niet te praten. Het paradijs was enkel geur, verlokkelijke, dronkenmakende geur van onvoorstelbare bloemen. En er was gezang, een soort geneurie.

De kinderen en tante Alda dreven op de lila gel regelrecht de verwoestende bel binnen, maar ze merkten er niets van. Vaag voelden ze andere wezens om hen heen zweven, net zo willoos. Ze hadden elkaar al lang losgelaten omdat ze aan niets meer dachten, niet aan gevaar en niet aan samen sterk. Pas toen ze na een eindeloze tijd werden afgevoerd naar een stinkcel, kwamen ze weer bij. Het gebeurde hardhandig. Het ene moment dreven ze over de hemelse gelei. Een ogenblik later werden ze opgeslokt door een gat in de wand en vielen met een smak op de koude grond van een metalen hok. Het leek nog het meest op een doos van glanzend staal. Aan alle kanten was hij dicht. Alleen aan één kant zat een raam. Daardoor kon je naar de verwoestende bel kijken. Ze zagen nu dat in de bel aan alle kanten ramen waren. Aan de overkant zagen ze Adje achter een raam. Hij drukte zijn neus tegen het glas en huilde.

Olaf bonsde met zijn vuisten op het venster om het stuk te timmeren. Maar zelfs als hij de kracht van een reus gehad zou hebben, dan was het glas heel gebleven.

„We moeten terug de bel in," zei tante Alda, „en dan naar de overkant, naar Adje."

„Ik voel me zo akelig," klaagde Monica.

„Ik ook," zei Bart. „Het is net of ik een nachtmerrie heb."

„Jammer genoeg is dit geen droom," zei tante Alda. „Het komt door de geur. Eerst voel je je heel prettig maar daarna voel je je extra naar."

„Als we eerst maar terug zijn in die bel," zei Monica. „Dan gaat het wel over."

„Het gaat nooit meer over," zei een stem in de hoek

van het hok. „Het wordt alleen maar erger."

Verbaasd draaiden ze zich om. Ze hadden niet gezien dat er nog iemand in het hok zat. Een bijna doorzichtig wezen.

„Wie bent u?" vroeg tante Alda.

„Als ik dat nog wist," zuchtte het wezen, dat eigenlijk een kobold was. „Ik ben helemaal leeg. Alleen het verlangen zit er nog. Het verlangen naar lila en geur."

„Hoelang zit u hier al?" vroeg tante Alda.

„Als ik dat nog wist," mompelde de kobold weer. Aan de muur naast het raam ging een bordje branden. 'Zing een lied' stond erop.

„Denk je dat we in de stemming zijn om te zingen!" riep Tibilé kwaad naar het bordje. Het floepte onmiddellijk uit.

„Kent u een lied?" vroeg de kobold gretig. Hij hees zijn doorzichtige lijf overeind en strompelde naar het raam. „Als je een lied kent, mag je daar binnen," lispelde hij.

„Hoor je dat, tante Alda?" riep Olaf opgewonden. Hij wilde meteen gaan zingen, maar tante Alda sloeg haar hand voor zijn mond.

„Wacht," riep ze, „laten we eerst goed nadenken voor we beginnen!"

„Maar als we te lang wachten, dan is Adje misschien weer verdwenen!" schreeuwde Olaf. Het klonk als 'Mom mokpel mmf' want tante Alda hield nog steeds haar hand voor zijn mond.

„Als we daar zo naar binnengaan, raken we meteen weer bedwelmd," zei tante Alda streng. „Dan zweven we wezenloos rond tot we door een van de ramen worden opgeslokt. Het zou wel heel toevallig zijn als we bij Adje terechtkwamen. Op die manier moeten we eindeloos opnieuw zingen tot we net zo doorzichtig zijn geworden als hij daar." De kinderen keken vol afgrijzen naar het door-

zichtige wezen dat weer was neergezakt in een hoek van het hok. Alleen Monica zei met een dromerige blik in haar ogen dat ze het niet erg vond om doorzichtig te worden.

„We kunnen onze neuzen dichtstoppen," bedacht tante Alda. „Misschien helpt dat." Ze zocht iets waarvan ze neusdopjes zou kunnen maken, maar er was niets, helemaal niets in het metalen hok. Toen viel haar oog op Monica's dunne, gebreide trui. „Het is zonde," mompelde ze, „maar we hebben geen keus." Ze begon aan de wollen mouw te pulken tot ze een draad los had. Steek voor steek haalde ze het breiwerk uit. De wollen draad rolde ze op tot ze een flinke bol had. Toen maakte ze kleine bolletjes wol. Ze druppelde op elk bolletje een beetje toverdrank en stopte de neusgaten van de kinderen dicht. Tenslotte deed ze ook bij zichzelf twee toverbolletjes in.

„En hij?" vroeg Tibilé. Ze wees naar de kobold. „We kunnen hem toch niet hier achterlaten?"

„Voor hem is het te laat," antwoordde tante Alda.

„Maar het is zielig om hem hier te laten," zei Bart.

Ze staarden allemaal naar de kobold die nog doorzichtiger leek dan daarnet.

„Leeg," mompelde hij. „Helemaal leeg."

Archibalda zei iets onverstaanbaars en maakte nog twee toverbolletjes. Ze deed ze bij de kobold in de gaten midden op zijn gezicht. „Ik hoop dat dat zijn neus is," zei ze, „want zeker weet ik het niet bij een kobold."

„Het voelt zo rot," klaagde Olaf. Hij pulkte aan zijn neus.

„Niet aankomen!" riep tante Alda. „Die bolletjes zijn onze enige kans. Laten we gaan zingen." Ze telde tot drie. Met zijn allen zongen ze keihard het vieze lied, want dat paste het best bij de omgeving. Ze hielden elkaar stevig vast, maar niemand durfde de kobold aan te raken en daarom pakte tante Alda hem tenslotte maar bij zijn lange haren.

Zodra het lied uit was flopten ze met een vaart de verwoestende bel in. De gel was nog net zo zacht en glad als daarstraks, maar de hemelse geur roken ze niet meer en het geneurie was veranderd in een afschuwelijk gesnerp. Het ging door merg en been. Ze zagen nu ook de andere wezens die in de bel ronddreven. Er waren dieren, elfen en kabouters, kobolden en trollen, maar zij waren de enige mensen.

„We moeten Adje vinden!" riep tante Alda. Het probleem was dat je de ramen niet zag als je in de bel was. Ze wisten niet meer waar ze vandaan waren gekomen en ze hadden geen idee van de plek waar Adje met zijn neus tegen het raam gedrukt zat.

Voor ze het wisten was de geurtijd om en werden ze opnieuw opgeslokt door een ruit. Het hok waarin ze terechtkwamen was niet het hok van Adje. Ze zagen hem nu achter een raam links in de bel. Hij huilde niet meer, maar staarde met een zielige blik voor zich uit alsof hij alle hoop om bevrijd te worden had opgegeven.

„We moeten wachten tot Adje in de bel is. Dan zingen we zelf ook om in de bel te komen," bedacht tante Alda.

„Adje kan niet lezen," merkte Olaf op. „Hij weet niet dat hij moet zingen."

„Nee," zei Bart, „en hij gaat heus niet vanzelf zingen, want daarvoor voelt hij zich veel te verdrietig." Ontmoedigd stonden ze met zijn allen bij het raam naar Adje te kijken. Niemand kon een oplossing bedenken.

De kobold zat weer in een hoekje van het hok. Hij kermde en kreunde verschrikkelijk. Hij begreep niet hoe het toch kwam dat hij in de bel was geweest en toch niet had genoten van de hemelse, zaligmakende geur. In de gel had hij zich net zo rot gevoeld als in het ijzeren hok. Het verlangen binnen in hem was ondraaglijk geworden.

„Ik wou dat we hem in dat andere hok hadden gelaten," zei Cissé. „Dit gekerm is niet om aan te horen."

„Het is het verlangen," zei tante Alda. „Dat knaagt en vreet aan hem. Hij sterft van de pijn. Pas als het verlangen ophoudt, wordt de pijn minder."

„Laten we hem zonder neusdopjes terugzingen naar de bel," stelde Monica voor. „Ik zal wel met hem mee gaan."

„Geen sprake van," zei tante Alda streng.

„Maar waarom niet?" riep Monica. „Dit is toch zielig!"

„Het is zijn enige kans om bevrijd te worden van het verlangen," legde tante Alda uit. „Als hij lang genoeg niets ruikt, gaat het verlangen vanzelf weg."

„En moet hij al die tijd zo'n pijn lijden?" vroeg Monica. Ze was in tranen.

„Het is zijn enige kans," herhaalde tante Alda. „Zijn enige kans om het te overleven." De kobold slaakte een jammerlijke kreet alsof hij begreep wat tante Alda had gezegd. Tegelijkertijd riep Olaf de anderen terug naar het raam.

„De wieleman," gilde hij, „daar achter Adje!" Ze waren net op tijd bij het venster om te zien hoe de wieleman Adje vastgreep en meesleurde. Ze konden niet zien hoe de twee het hok uitgingen. Dat ze weg waren uit het hok was zeker, want Adje verscheen niet meer bij het raam.

„Hoe kan dat?" riep Cissé. „Er zit helemaal geen deur in het hok."

„Misschien was Adje's hok anders," zei tante Alda, „of misschien zit er in ons hok ook een deur, een onzichtbare, een geheime deur. De vraag is, hoe ontdekken we hem en hoe krijgen we hem open. Ik stel voor dat we daar helemaal diep over gaan nadenken. Concentreer je,

gebruik je hersens en je intuïtie."
„Wat is intuïtie?" vroeg Bart. Even leek het of Adje terug was.
„Dat is het gevoel waarmee je dingen weet zonder ze te weten."
„He, watte?" vroeg Bart met open mond.
„Laat maar zitten," zei tante Alda. „Denk nu maar gewoon zo goed mogelijk na, dan komt de rest vanzelf wel."
Er viel een stilte in het hok. Alleen het gekerm van de kobold bleef doorgaan.
„Ik denk," zei Tibilé na een tijdje, „dat de deur opengaat met geluid."
„Waarom denk je dat?" vroeg tante Alda.
„Omdat de opening naar de verwoestende bel ook met geluid gaat. Daarvoor moet je zingen."
„Voor de deur moet je misschien schreeuwen of een toverspreuk weten," zei Bart.
„Zeker zoiets als 'sesam open u', smaalde Olaf. Hij vond het een bespottelijk idee, alsof een ijzeren deur oren had!
„Zo gek is dat idee niet," zei tante Alda. „Ik heb weleens gelezen dat in die spreuk alleen het woordje sesam belangrijk was. Dat moest langzaam en duidelijk worden uitgesproken. Het moest goed zoemen, anders ging de rots niet opzij. Ik heb ook wel eens gehoord dat je door heel intens te zoemen een steen kunt laten zweven."
„Nou ja," zei Olaf, „dat geloof ik dus niet."
„Nee, ik ook niet," zei Cissé. Maar Tibilé, Bart en Monica twijfelden. Het klonk wel raar, maar hier was alles raar.
„We kunnen het toch proberen," zei Tibilé.
Tante Alda knikte. „Het probleem is: welk woord moeten we zoemen om de geheime deur open te krijgen? We kunnen alle woorden met een s of z proberen."
„Sesam, zee, ziezo, sar, zomaar, soesa, zom-zom-zom-

bie, zo zo,'' klonk het zoemend in het ijzeren hok. Zelfs de kobold werd er stil van. Hij lag met starre ogen voor zich uit te staren en luisterde naar het zoemen dat steeds sterker werd.

Cissé deed ook mee. Eerst alleen maar omdat de anderen het deden. Toen omdat het zo lekker doorzoemde in je hoofd, maar opeens keek ze naar Olaf die met zijn ogen dicht stond te zoemen alsof zijn leven er van af hing. Het zag er zo belachelijk uit, dat Cissé een lachkriebel in haar borst voelde. Ze probeerde hem nog tegen te houden maar de lach klom onweerstaanbaar omhoog tot hij schaterend uit haar mond schoot. De anderen hielden verbaasd op met zoemen. Bart begon te giechelen. Daarna deed Tibilé het ook en geen halve minuut later stonden ze met zijn allen te gieren van de lach. De lucht in het ijzeren hok trilde ervan. De muren gingen er bol van staan en toen schoot de geheime deur open. Het gebeurde zo onverwacht dat ze allemaal onmiddellijk ophielden met lachen.

,,Natuurlijk,'' fluisterde tante Alda. ,,Ik had het kunnen weten. De lach is de geheime sleutel. Een veilige sleutel, want niemand die in de lila gel heeft gelegen, heeft nog zin om te lachen. Wie in het ijzeren hok terechtkomt, is het lachen vergaan. Vlug, we moeten hier weg, voor iemand heeft ontdekt dat we de deur open hebben gekregen.''

Ze grepen elkaar bij de hand en liepen de zwarte gang in. De kobold voelde een vage hoop op verlossing. Hij hees zich overeind en strompelde achter hen aan.

Ze volgden een hele tijd dezelfde gang. Af en toe waren er zijgangen. Soms zat er een gat in de vloer waar ze overheen moesten springen. Nergens was een lamp te zien. Voor hen uit was de gang een zwart gat en achter de kobold sloot de duisternis zich weer. Maar waar zij liepen was het licht genoeg om de gaten en zijgangen te kunnen zien. Ze hadden al zoveel vreemde dingen meegemaakt, dat ze niet eens meer verbaasd waren over het licht. Misschien stralen we het zelf uit, dacht Olaf. Hij kwam daarop toen hij naar de kobold keek. Die was nog steeds doorzichtig, maar je zag hem toch duidelijk licht afgetekend tegen het zwart van de gang achter hem.

Ze liepen door de eindeloze gang die steeds breder en hoger werd. Niemand vroeg zich af waar ze uit zouden komen of hoelang ze zo nog door moesten lopen. Ze stopten toen tante Alda haar hand opstak. Voor hen was onraad. Ademloos stonden de kinderen vlak achter haar te luisteren.

Een zacht gemompel kwam door de gang naar hen toe rollen. De stem was niet te herkennen en de woorden waren niet te verstaan. Toch hadden ze allemaal het gevoel dat het geluid bekend was. Tante Alda wenkte. Voorzichtig slopen ze verder door de wijder wordende gang tot ze ineens bij een grot uitkwamen. De bodem van de grot was diep onder hen. Van de gang naar beneden liep een smalle beweeglijke glijbaan die aan het eind in tweeën splitste. Aan de andere kant van de grot was een poort naar buiten. Aan de bovenkant van de opening hingen twee lange, kromme puntige tanden. Vlak voor de opening van de grot stond de wieleman. Hij hield Adje stevig vast.

„Dit is een voorproefje," zei hij tegen iemand die ze niet zagen. „Van dit soort heb ik er nog zes maar dan groter en lekkerder. O, Grote Naak."

„Zzzo isss dit lekker? Hij zzziet er net zzzo uit alsss jij!" siste een stem. „Je hebt altijd gezzzegd dat jij niet sssmaakte."

„Er is een groot verschil tussen mij en dit schepsel, Naak. Ik heb wielen. Ik ben door de wol geverfd. Ik heb in zeven sloten tegelijk gelegen. Ik ben meer sprookje dan mens, terwijl dit schepseltje jong en vers is."

„Jong en versss!" siste de stem. „Hij isss in ieder geval niet doorzzzichtig. Doorzzzichtig sssmaakt niet. En jou wil ik ook wel eensss proeven. Door de wol geverfd en in zzzeven sssloten tegelijk klinkt naar veel en sssmakelijk."

„Dat was niet afgesproken, Grote Naak," zei de Wieleman. „Wie zal er zorgen voor verse lekkernijen als u van mij proeft! Wie zal ze hierheen lokken? Wie zal er zorgen voor uw koninklijke waterslangenmaal?"

„Een slang," fluisterde tante Alda. „We zitten in een slang."

„Dat is juissst," siste de slang. De beweeglijke gespleten glijbaan likte langs de wieleman en rolde zich om Adje heen.

„Een smakelijke spijsvertering," wenste de wieleman en stapte tussen de puntige giftanden door naar buiten.

Naak tilde Adje op. Zijn tong schoot naar buiten. De slang wilde zijn prooi bekijken.

„Dat zzziet er goed uit," siste het monster. „Een beetje klein misschien maar sssmakelijk en versss."

„Nee!" gilde Olaf. Hij timmerde met zijn vuisten op het begin van de glijbaan. „Laat mijn broertje los!"

„Ja, laat los!" gilde Bart. Hij schopte tegen de muren van de gang. Ook Cissé, Tibilé, Monica en tante Alda schopten en stompten tegen de muren en de vloeren. Naak kreeg er een kriebelende keel van. Hij kokhalsde. Het leek op een aardbeving.

De kinderen en tante Alda vielen langs de glijbaan omlaag naar de bodem van de grot. Toen spuugde Naak hen uit. Ze kwamen in het water van een rivier terecht. Het was er niet diep. Ze konden er makkelijk staan. Even voelden ze zich opgelucht omdat ze uit het donker waren, maar toen keken ze recht in de verschrikkelijke ogen van Naak. Zijn gespleten tong flitste zijn bek in en uit. De enorme giftanden blikkerden als staal.

„Nu komt het erop aan," zei Archibalda Eenhoorn tegen zichzelf. „Laat zien dat je kunt toveren." Ze pakte het toverstokje uit haar mouw en haalde ook de fles toverdrank te voorschijn.

„Zzzie daar een sssmerig ssschepsel," siste Naak giftig.

Archibalda voelde zijn angst. Een van de twee dingen die ze in haar handen had was gevaarlijk voor de slang. Was het de toverdrank of de toverstok? Ergens in haar hoofd zat een zinnetje. Het was de oplossing van het raadsel, maar ze kon het zich niet meer herinneren.

„Help me!" riep ze naar de kinderen. „Denk na. Waar hebben we iets over een slang gezien, gelezen of gehoord?"

„Er zit een slang om het flesje toverdrank," zei Tibilé.

„Dat bedoel ik niet," zei tante Alda. „Het is iets anders, iets over angst."

„Is slang nog zo vol schroom," zei Monica. „Dat stond in het toverboek bij het gedicht over de toverstok."

„Ja," juichte tante Alda, „dat is het: Vrouw Hazel, Vrouw Hazel, hoe staat het met je boom? Is hazelheg nog veilig? Is slang nog zo vol schroom? Voor tovertak." Ze stopte het flesje toverdrank weg in haar mouw en hield de toverstok nu met twee handen vast alsof het een zwaard was.

Naak staarde haar onbeweeglijk aan. Zelfs zijn tong hing doodstil in de lucht. Archibalda voelde hoe zijn angst sterker werd. „Ssssss," siste hij. „Voorzzzichtig ssschepsel! Ik lussst je rauw."

Archibalda deed een stap vooruit. De kinderen hielden hun adem in. Niemand durfde eraan te denken wat er zou gebeuren als tante Alda werd gedood door de slang.

Een eeuwigheid stonden Archibalda en Naak tegenover

elkaar, oog in oog. Toen ging Naak razendsnel in de aanval. Hij liet Adje vallen en zijn tong flitste vooruit naar Archibalda, maar die was al opzij gesprongen. Ze haalde uit met haar toverstaf naar het linkeroog van de slang. Naak siste gruwelijk toen ze het oog raakte. Blind van pijn rolde hij zijn kop heen en weer zodat het rechteroog ook binnen haar bereik kwam. Archibalda haalde opnieuw uit en sloeg razendsnel toe met haar toverstok.

Het reusachtige slangelijf kronkelde in duizend bochten, verhief zich in de lucht zodat de hemel werd verduisterd. Daarna stortte het krachteloos ter aarde. De kop lag nu stil. Nog steeds siste het monster onheilspellend, maar Naak was uitgeschakeld. De tak van de hazelaar had de waterslang voorlopig verlamd en voorgoed blind gemaakt.

Archibalda stond te trillen op haar benen. De kinderen stonden wit van angst dicht tegen elkaar aan. Voorzichtig liep Archibalda achteruit tot ze vlak bij Adje was. Met haar ogen nog steeds op de slang gericht tilde ze het kind op en droeg hem weg. Zo snel ze konden holden de kinderen met haar mee door de rivier. Bij een plek waar de oever laag genoeg was, klommen ze de kant op.

Het toonaangevende hof

Ze renden over het smalle pad langs de rivier tot ze niet meer konden. Hijgend en uitgeput zegen ze neer onder een grote boom. Toen pas keken ze hoe Adje er aan toe was. Hij leek te slapen. Eigenlijk zag hij er net zo uit als de keer dat ze hem in de ruïne hadden gevonden, maar

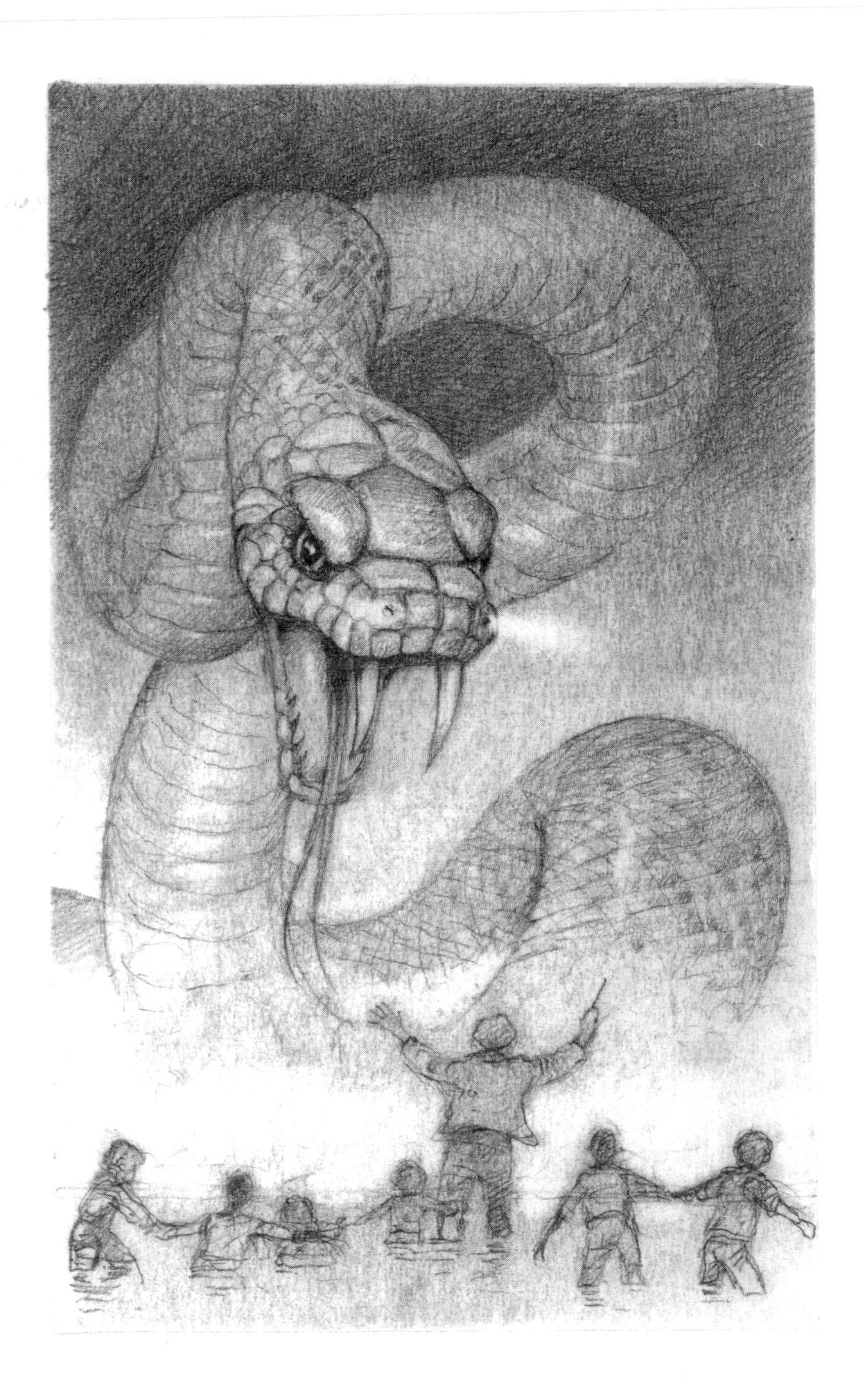

dit keer wisten ze wat ze moesten doen om hem wakker te maken. Allemaal samen zongen ze zacht de toverspreuk:

,,Ango lamo zambiek zimbab webots wana, hoort het woord."

Adje deed zijn ogen open. Zodra hij hen zag, begon hij te huilen. Tante Alda wiegde hem in haar armen.

,,Stil maar," suste ze. ,,Het is over. We zijn weer bij elkaar. Er kan nu niets meer gebeuren. Alles is weer goed."

,,Behalve dan dat we nog lang niet thuis zijn," zei Cissé. ,,En ik heb honger."

Over het pad kwam iets aanhobbelen. Ze zaten meteen waakzaam overeind. Maar het was slechts de kobold. In het daglicht zag hij er nog enger uit dan in het donker. Hij was klein en grijs. Zijn brede platte gezicht had een vertrokken mond, dreigende oogjes en twee gaten in plaats van een neus. Zijn lange haar viel in vettige slierten langs zijn hoofd. Hij hijgde en steunde, maar dat klonk lang zo zielig niet als het akelige gekerm en gekreun van eerst.

,,Waar gaan we heen?" vroeg hij, toen hij vlakbij was. ,,Is daar goud?"

,,Nou ja!" riep Cissé verontwaardigd. ,,Eerst jankte je om lila gel en nu wil je goud."

,,Ik ben een kobold," zei de kobold alsof dat alles verklaarde.

,,Kobolden zijn tuk op goud," vertelde tante Alda. ,,Zo te zien is hij weer aardig opgeknapt. Vertel eens, heer kobold, hoe zit het met het verlangen?"

,,Verlangen?" vroeg de kobold. ,,Wij kobolden verlangen maar naar één ding en dat is..."

,,Goud!" riepen de kinderen in koor.

,,Ja, goud," mompelde de kobold. Zijn grijze tong likte

langs zijn afzichtelijke mond alsof hij aan iets lekkers dacht.

„Als je goud wilt, kun je beter op eigen houtje verder reizen," zei tante Alda. „Wij hebben geen goud en wij gaan gewoon naar huis."

„Hier gaat niemand gewoon naar huis," merkte de kobold op. „Want hier behoort alles toe aan de zonnezangeres."

„Dit is de grote rivier," sprak tante Alda hem tegen. „Op de oever van deze rivier hebben wij pas geleden nog gepicknickt. Ik geeft toe dat het een flink eind is om naar huis te lopen, maar als we nu meteen op weg gaan, zijn we voor donker thuis."

„Hier," zei de kobold koel, en hij zwaaide met zijn arm om zich heen, „hier wordt het nooit donker. De dag duurt duizend jaar."

„Beter een dag van duizend jaar dan een nacht van duizend jaar," merkte Olaf op.

„Die nacht komt daarna," giechelde de kobold.

„Hij is gek," riep Tibilé, „helemaal geschift!"

De kobold keek haar beledigd aan en liep weg. „Ze is niet echt aardig, die zonnezangeres!" riep hij nog over zijn schouder. „Jullie kunnen je beter een beetje verstoppen."

Ze hielden een onbehaaglijk gevoel over nadat de kobold was verdwenen. De rivier stroomde traag en de krekels sjirpten in het gras, net als toen ze picknickten. Maar het blauw van de lucht had een vreemde tint en de kleur van het water leek ook anders dan gewoon.

Ze gingen onmiddellijk op weg. Tante Alda begon een vrolijk marsliedje te zingen, alsof er niets aan de hand was. Toen kwam er van ver een ander geluid, ritmisch en roffelend. Trommels. Ze hoorden het allemaal tegelijk, hun lied stierf weg. De laatste tonen bleven nog even in de lucht hangen. Daardoor leek het aanzwellend geroffel extra sterk.

„Daar zijn de trommels," zei Adje tenslotte.

Bij de bocht van de rivier verschenen de eerste trommelaars. Ze liepen keurig in het gelid als een leger soldaten. Ze droegen fleurige uniformen: witte broeken, rode jasjes en een trommel aan een leren band schuin op hun buik. Op hun hoofden hadden ze hoge hoeden met een klep en een pluim. Feestelijk kwamen ze aangemarcheerd. De kinderen en tante Alda gingen naar de kant om de stoet voorbij te laten gaan. Tot hun verrassing maakten de trommelaars op de plaats halt zodra ze ter hoogte van het wachtende groepje waren. De tamboer-maître liet ze een kwartslag draaien, zodat ze met hun gezicht naar tante Alda en de kinderen toe stonden. Met zijn prachtige dirigeerstok onder zijn arm geklemd begon de tamboer-maître aan een toespraak.

„Hooggeëerde bezoekers," sprak hij. „Welkom aan het hof van de zonnezangeres. Wij wensen u een aangenaam verblijf in alle toonaarden. U wordt verwacht." Hij brulde een commando waarop het tamboerkorps in tweeën splitste. De ene helft dribbelde naar links, de andere helft naar rechts. Daarna draaiden ze nog een kwartslag verder tot ze met hun gezichten in de richting stonden van waar ze waren gekomen. Precies in het midden van de groep was ruimte voor tante Alda en de kinderen. De tamboer-maître nodigde hen met een elegant gebaar uit om hun plaats in de stoet in te nemen.

„Ik geloof dat we toch verder van huis zijn dan we dachten," zei tante Alda. Zuchtend stapte ze tussen de trommelaars. De kinderen gingen naast haar staan.

De tamboer-maître stak zijn stok in de lucht, gaf een bevel en de tamboers zetten zich weer in beweging. Ze werden nu helemaal omhuld door ritmisch geroffel.

Bart liep druk met zijn arm heen en weer te zwaaien, precies zoals de tamboer-maître deed en de anderen liepen vrolijk in de maat. Adje huppelde mee aan tante Alda's hand. Zodra ze voorbij de bocht in de rivier waren, zagen ze het kasteel. Het stond op een heuvel. Het had ontelbaar veel torens. Aan alle torens wapperden vlaggen. Aan de voet van het kasteel was een mooi, oud stadje. Het was omringd met een brede, stenen muur waarop schildwachten stonden. Ze moesten door een poort in de muur om in de stad te komen. De straten waren er schoon en vol mensen. Er waren geen auto's of fietsen, geen telefooncellen of stoplichten, geen lantarenpalen en verkeersborden.

„Aan de kleding te zien, zitten we in de achttiende eeuw," zei tante Alda boven het geroffel uit.

De tamboers marcheerden onvermoeibaar voort. Ze gingen de stad door en de berg op tot ze bij het kasteel waren. De brug kwam omlaag, zodat ze over de diepe spleet konden, die rondom het kasteel liep. Ze kwamen op een binnenplaats. Daar werden ze ontvangen door een soort minister. Hij droeg geborduurde kleren en een pruik en iedereen boog en knipte voor hem. Zonder verder tijd te verspillen werden ze meegenomen naar de zonnezangeres. De minister maande hen zelfs tot spoed. Hij keek regelmatig op een bol die uit schijven bestond en riep dan:

„Snel, snel, dadelijk sluiten de deuren!"

Op het laatst renden ze door de lange kasteelgangen achter hem aan. De pruik van de minister wapperde en de panden van zijn geborduurde satijnen vest slierden als wimpels achter hem aan. Hijgend kwamen ze bij de brede deuren van de troonzaal. De lakeien hadden de deuren al half gesloten en zodra ze binnen waren, gingen ze helemaal dicht. De troonzaal zag eruit als een concertzaal. De minister snelde door het zijpad naar voren en plofte neer op een pluchen fauteuil op de voorste rij. Naast hem waren nog zeven stoelen leeg voor Archibalda en de kinderen.

Achter hen kuchte het publiek: gezelschapsdames en rentmeesters, de kanselier en de hofdames, de kamerheren en kamermeisjes, knechten en meiden, de kokkin, de tuinman en de bloemschikdames. Toen viel er een doodse stilte. Iedereen staarde naar de gouden troon voor in de zaal. Hij stond op een verhoging. Van de troon liep een trap omlaag naar een podium dat ook nog hoger was dan de rest van de zaal. Iedereen wachtte onbeweeglijk op de zonnezangeres. Ze was nauwelijks van de troon te onderscheiden omdat ze helemaal gekleed was in goudbrokaat. Op haar hoofd droeg ze een goudbepoederde pruik, aan haar handen schitterden net zoveel diamanten als er in de troon zaten.

Toen de stilte onverdraaglijk werd, stond de zonnezangeres op. Met een zacht geritsel daalde ze statig de trap af. Ze stelde zich op in het midden van het podium.

Er klonk een daverend applaus, maar zodra de gouden zangeres haar schitterende 'diamanten' hand opstak, werd het weer doodstil in de zaal.

„Wie is dat?" vroeg Adje. Het klonk afschuwelijk luid.

„Stil!" siste de minister. Hij zag hoogrood. De zonnezangeres wierp een ijskoude blik op het kind. Tante Alda schoot overeind en legde haar arm om Adjes schouders, want ze had het gevoel dat hij gevaar liep.

Het machtige goudschitterende wezen liet haar blik van Adje wegglijden. Even keek ze Archibalda aan. Daarna haalde ze diep adem en zong een toon zo hoog en machtig dat tante Alda achteruit werd gegooid en met een plof tegen de rug van haar stoel terechtkwam.

„Zo, die is sterk," fluisterde Olaf. Tibilé stootte hem

waarschuwend aan en siste geluidloos. Dit keer had de zonnezangeres niets gehoord. Ze ging volkomen op in haar gezang. Na die ene hoge oersterke toon volgde een waterval van prachtige zuivere klanken, die leken te draaien, steeds sneller tot het gezang boven de hoofden van het publiek zichtbaar werd, als een razendsnel ronddraaiende schijf.

Plotseling staakte ze haar lied. Iedereen staarde naar de geruisloos rondzoevende schijf boven hun hoofd. Niemand verroerde zich. Na een eindeloze pauze begon de zonnezangeres een nieuw lied. Het was heel anders. Op een vreemd ritme zong ze een merkwaardige melodie, vrolijk, dat wel, maar oeroud, onnavolgbaar, stralend, alsof de hele natuur erin zat, onmogelijk om na te zingen. Deze melodie zweefde omhoog en bleef hangen vlak onder de draaiende schijf en begon ook te wentelen, eerst langzaam als een propeller die nog op gang moet komen, toen steeds sneller. Weldra cirkelde de vreemde melodie als een tweede schijf onder de eerste.

Vervolgens zong de zonnezangeres een Japans popnummer en een Amerikaanse rap-song. Ze zong Bach en de Beatles en een middeleeuws heldenlied. Elke keer kwam er weer een sneldraaiende schijf bij boven de hoofden van het publiek. Ontelbaar veel liederen zong de zonnezangeres.

Toen, plotseling, zweeg ze. Het bleef doodstil in de zaal terwijl ze de trappen naar haar troon besteeg. Niemand bewoog, niemand zuchtte. Zodra ze zat maakte ze een schitterend gebaar met haar hand. Gehoorzaam wentelde de meerdelige schijf naar voren en kantelde zodat hij als een stralende zon boven het podium zweefde.

De kinderen keken angstig naar tante Alda. Die knikte hen bemoedigend toe. Ze zag er rustig uit maar van binnen was ze bang. Net als de kinderen voelde ze, dat het spektakel nu pas ging beginnen.

Door alle gouden schittering zag je bijna niet dat de zonnezangeres haar lippen tuitte en een zachte toon zong. 'Noooeoe,' klonk het en de toon ging als een zoeklicht door de zaal tot hij bleef rusten op een van de hofdames.

De dame begon te zweven en zweefde over de hoofden van de mensen heen naar de gouden schijf. Ze werd er door opgeslokt, precies zoals de kinderen en tante Alda opgeslokt waren door de grond. Je kon haar zien staan in de schijf. Steeds dieper drong ze erin door, alsof ze van de ene schijf in de andere stapte. Elke keer zagen haar kleren en kapsel er anders uit. Het was duidelijk dat ze met elke schijf van tijd verwisselde.

Archibalda keek vol bewondering naar het gouden wiel. De zonnezangeres had een tijdmachine te voorschijn gezongen, een tijdschijf met onbeperkte mogelijkheden.

De hofdame was nu gekleed in een eenvoudige boerenjurk. Ze had een kapje op haar hoofd en droeg een geborduurd schort. Aan haar arm hing een mand met gedroogde kruiden. De schijf draaide een kwartslag en werd een bol, een zeepbel eigenlijk waarin de hofdame als boerenmeisje over een weggetje liep.

Nog voor ze bij een armoedig huisje was, kwam er iemand naar haar toe rennen. Het was een jongen, net als zij in boerenkleding. „Ze komen je halen," riep hij luid. „Ze komen je halen!" Het meisje keek in paniek om zich heen, wilde weghollen maar het was al te laat. Ze werd gegrepen door twee stevige soldaten en meegevoerd naar een heksenwaag.

Niemand in de troonzaal kon verstaan waarvan ze werd beschuldigd en ook niet wat ze antwoordde om zich te verdedigen, maar de mensen die voor de waag te hoop waren gelopen, schreeuwden, schudden hun vuisten en juichten toen het vonnis werd voorgelezen. Het meisje werd naar een brandstapel gebracht en levend verbrand.

De kinderen zaten vol afgrijzen te kijken. Tibilé verborg haar gezicht in haar handen om het vreselijke schouwspel niet te hoeven zien. Tante Alda trok Adje tegen zich aan.

Plotseling kantelde de bol en werd weer een schijf. Zacht zoevend draaide hij, glanzend als een gouden zon. Er ging een zucht door de zaal, een rilling. Van afschuw om wat ze net hadden gezien. Van opluchting omdat het voorbij was. Van angst omdat niemand wist wie de volgende reis in de tijdschijf zou gaan maken.

Het volgende slachtoffer was de tuinman. Hij zweefde de schijf in en veranderde van een Romein in een farao, een ridder, een kolenboer, een huidenkoper, een priester, een holenmens en een dierentemmer. Tenslotte was hij een vliegenier. De schijf kantelde en werd weer een bel. De vliegenier stond met zijn lange leren jas aan, bij een piepklein vliegtuigje met vleugels van doek. Hij had een leren kap op zijn hoofd en hij droeg een vliegeniersbril. Op het grasveld zaten dames in beeldige witte jurken en met grote hoeden op thee te drinken terwijl ze wuifden naar de dappere vliegenier die met zijn miezerige vliegmachine over een woestijn zou vliegen. Eerst ging alles goed. De lucht was helder blauw. Er was niet veel wind en de vliegenier keek over de rand van zijn vliegtuigje naar beneden. Daar liep een karavaan over de goudgele duinen. Hij ging wat lager vliegen en zwaaide en schreeuwde naar de bedoeïenen. Die stonden met open mond te kijken naar dat rare ding in de lucht. Maar verder op begon het motortje te sputteren. De propeller hield op met draaien. Het vliegtuigje zweefde lager en lager en landde met een smak in het woestijnzand waarbij het opzij tuimelde zodat een vleugel brak en de neus met de propeller in het zand boorde. Als een platgeslagen mug lag het toestel in de woestijn. De vliegenier stond er treurig bij. Hij deed zijn leren jas uit omdat het zo heet was en keek naar alle kanten, maar overal was zand. Hij wachtte tot het iets koeler werd. Toen ging hij op weg met zijn jas over zijn arm omdat het ijzig koud zou worden zodra de nacht was gevallen. De volgende dag rond het middaguur viel de vliegenier voor de twintigste keer voorover in het zand. Dit keer kwam hij niet meer overeind. Alleen zijn hand bewoog nog even. Toen kantelde de bol en werd weer schijf.

„Het loopt altijd slecht af," fluisterde Bart. Hij had tranen in zijn ogen.

„Wees alsjeblieft stil," siste tante Alda. „Beweeg je niet. Ik wil niet dat ze een van ons aanwijst met haar zoektoon."

„Ik ben bang," fluisterde Tibilé.

Olaf greep haar hand. „Ze bestaat niet," zei hij. Eerst heel zacht, toen luider herhaalde hij: „Ze bestaat niet. Ze bestaat niet." Er ging een ongelovig gemompel door de zaal. „Ze bestaat niet," schreeuwde Olaf nu. „Zien jullie dan niet dat ze niet bestaat!"

Langzaam richtte de zonnezangeres haar verschrikkelijke blik op hem. Ze bleef glimlachen terwijl haar lippen tuitten. Dat kon helemaal niet. Toch was het zo. De zonnezangeres glimlachte terwijl ze de zachte zoemtoon zong. De toon ging recht op Olaf af.

„O nee," schreeuwde Archibalda, „dat gebeurt niet! Dan zul je mij eerst uit moeten schakelen." Ze sprong op van haar stoel en ging tussen Olaf en de zonnezangeres in staan. Maar het was net of de toon dwars door haar heen ging. Olaf begon te zweven.

Tibilé greep hem met twee handen vast om hem tegen te houden. Ze zweefde eenvoudig met hem mee omhoog. Archibalda rende naar het podium. Ze klom erop en holde door naar de trap die naar de troon leidde. Opeens kwamen overal soldaten vandaan. Ze grepen haar vast en sleurden haar de zaal uit. Ook Cissé, Bart, Monica en Adje werden weggebracht. Ze gilden en spartelden, maar niets hielp.

Terwijl Olaf en Tibilé de tijdschijf in floepten, werden de anderen weggevoerd naar de grot van de eeuwige stilte helemaal onder in de kelders van het kasteel. De grot werd afgesloten met een dikke ijzeren deur.

Cissé vloog op de deur af. Met haar vuisten bonsde ze op het ijzer. Ze schopte haar schoen stuk tegen de gesloten wand. Ze schreeuwde zo hard ze kon, woedend, razend. Hoe ze ook tekeerging, in de grot heerste een volkomen stilte. Het leek of de tijd was ingedikt zodat het geluid er lichtjaren over deed om bij hun oren te komen.

Tante Alda zonk neer in een hoek van de grot. Ze verborg haar gezicht in haar handen. Ze was wanhopig. Nog nooit eerder was een avontuur zo afschuwelijk geweest. De kinderen kwamen bij haar zitten. Ze drukten zich tegen haar aan. Archibalda keek naar hun verdrietige gezichtjes. Ze hield hen in haar armen geklemd en vroeg zich steeds af: hoe heeft dit kunnen gebeuren? Het zweet brak haar uit als ze aan Tibilé en Olaf dacht. Wat stond hen in de tijdschijf te wachten? Ze zag weer het verbrande meisje voor zich en de verongelukte vliegenier. Haar keel werd dik van angst. En dan die vreselijke stilte! Bart keek haar almaar smekend aan alsof hij wilde zeggen: je kan Olaf en Tibilé toch wel redden? Olaf komt toch wel terug? En Cissé staarde voor zich uit met ogen als donkere poelen. Monica was afwezig. Ze dacht over iets na, maar Archibalda had geen idee wat dat kon zijn. Adje was helemaal murw. Er was te veel gebeurd. Af en toe dommelde hij in, maar hij was te onrustig om echt te kunnen slapen.

Archibalda voelde zich schuldig. Hoe had ze zo stom kunnen zijn, om zomaar het huis uit te rennen. Hoe had ze de kinderen mee kunnen sleuren in zo'n waanzinnig avontuur met zoiets onbestaanbaars als de wieleman. Geen mens zou haar geloven als ze het vertelde. Vertelde? Voorlopig viel er niets te vertellen. Ze waren hier in de grot van de eeuwige stilte misschien wel verder van huis dan Olaf en Tibilé in de tijdschijf. Mevrouw Desmet zou zich wel afvragen waar ze bleven. Het huis was open blijven staan en de buurvrouw wist natuurlijk precies hoe lang ze al weg waren. Misschien zou ze de politie waarschuwen. Even hoopte Archibalda dat ze dat zou doen. Toen bedacht ze dat het niets zou helpen. De politie zou geen spoor van hen terugvinden. Van die kant was er geen hoop op redding. Alleen iemand van deze vreemde ondergrondse wereld zou hen kunnen helpen. Maar wie zou dat willen?

Vaag dacht Archibalda aan de wieleman. Ze hadden hem niet meer gezien nadat hij door de bek van Naak naar buiten was gestapt. Hoe lang was dat al geleden? Hoe lang zaten ze al in de grot? Dag en nacht bestonden hier niet. De tijd stond stil of ging juist razendsnel. Net zoals stond beschreven in het toverboek. Archibalda mompelde de woorden:

„Einstein heeft het uitgedacht, terwijl geen mensenoog ooit zag, dat tijd dichtbij en tijd ver weg, dat toekomst en vandaag, soms sneller gaan of slomer juist. Wie weet, het is een vraag hoe lang de tijd duurt."

Heel hun avontuur had met dit gedicht te maken. Toen ze door de grond floepten, gebeurde er iets vreemds met de tijd. Vanaf dat moment was alles in de war. De zonnezangeres had die verwarring alleen maar groter gemaakt. Zij zette de tijd gewoon naar haar hand.

Was ik maar die geleerde meneer Einstein, dacht Archibalda. Hij had vreemde dingen ontdekt over tijd, afstand en snelheid. Dat had allemaal met elkaar te maken, volgens hem. Archibalda had er nooit iets van gesnapt. Ik had beter mijn best moeten doen om Einstein te begrijpen, dacht ze, dan had ik nu geweten wat ik moest doen. Ik had Olaf en Tibilé terug kunnen halen uit de tijdschijf. Ik had... had... Archibalda sloot haar ogen. Ze voelde tranen opkomen, maar ze wilde niet dat de kinderen haar zagen huilen. Ze moest sterk zijn. Ze moest een oplossing verzinnen. Verbitterd dacht ze aan de laatste regels van het gedicht: De mooiste tijd, de snelste tijd, de tijd die lang mag duren, is altijd nog de sprookjestijd.

„Als dat zo is waarom kom je ons dan niet redden, huisdwerg?" riep ze. „Jij hoort tenslotte ook in de sprookjestijd thuis. Kom dan. Kom dan!" De kinderen keken haar verbaasd aan. Ze hoorden niets maar ze zagen dat ze schreeuwde. Het maakte hen bang.

„Stil maar," suste Archibalda. „Stil maar, alles komt goed." Maar ook dat hoorden de kinderen niet.

We moeten iets gewoons doen, dacht ze. Iets dat we thuis ook zouden doen. Spelletjes bijvoorbeeld, spelletjes om de tijd te doden. Misschien zou zelfs de eeuwige stilte minder stil worden als ze bezig waren. Met gebaren begon ze uit te leggen wat ze wilde. Even later zaten ze in een kring en deden zakdoekje leggen met Bart zijn sok.

Cissé ontdekte pas na een hele tijd dat de deur openstond. Ze zat er met haar gezicht naar toe, maar omdat ze hem niet had horen opengaan, zag ze het pas toen ze toevallig die kant op keek. Ze greep Bart bij zijn hand. Die pakte Monica. Monica greep tante Alda vast en die sleurde Adje weer mee. Even later stonden ze met zijn allen in de lage ondergrondse gang van het kasteel. Midden in de gang stond de kobold. Hij versperde hen de weg en zwaaide met een sleutel. Zijn afgrijselijke grijze snoet was het mooiste dat ze ooit hadden gezien. Archibalda had hem wel kunnen zoenen. Maar de kobold keek tamelijk nijdig en zei vals tegen Cissé:

,,Wat zei je ook weer dat ik was? Geschift! Ha, wie had er gelijk? Wie wist het beter?''

Cissé deed haar mond al open om te antwoorden maar tante Alda was haar voor. ,,Het spijt ons,'' zei ze, ,,we wilden je niet beledigen en we zijn je dankbaar omdat je ons hebt bevrijd.''

,,Voor dankbaarheid kan je niets kopen,'' antwoordde de kobold. ,,Voor wat hoort wat.''

,,We hebben nog steeds geen goud,'' zei tante Alda.

,,Geen goud,'' mompelde de kobold, ,,Wel iets anders, iets heel handigs.''

,,Wat dan?'' vroeg Bart.

,,Toverdrank,'' giechelde de kobold. ,,Buitengewoon krachtige toverdrank om ogen blind en oren doof te maken. Toverdrank voor een diepe, diepe slaap zodat een kobold...'' Hij strekte zijn grijze vingers en bewoog ze zodat zijn handen net spinnen leken. ,,Zodat een kobold het gouden kruis kan pakken.''

,,Welk gouden kruis?'' wilde Archibalda weten.

,,Het kruis van de zonnezangeres,'' antwoordde Monica.

,,Juist,'' giechelde de kobold. ,,Het gouden kruis dat de zonnezangeres onder haar kleren draagt. Het kruis dat ze nooit afdoet. Het mooiste gouden kruis van de wereld.''

,,Hoe weet je dat van dat kruis?'' vroeg Cissé aan Monica.

„Mijn moeder draagt er ook een," antwoordde ze.
„En jij?" vroeg Archibalda aan de kobold, „hoe weet jij dat?"
„Ik kruip en sluip en gluur in het geniep en niemand die mij ziet," zong de kobold.
„Heb je gezien hoe wij naar die vreselijke grot werden gesleept?" vroeg Archibalda.
„Ik zie alles," neuriede de kobold.
„En heb je gezien wat er met Olaf en Tibilé in de tijdschijf is gebeurd?"
„Zeker zeker," giechelde de kobold.
„Wat dan?" vroeg Bart.
„Ze kwamen in de toekomst terecht," vertelde de kobold. „Ze waren in een torenflat en werden achtervolgd door een bende karate-kids." Hij zweeg.
„En toen?" vroeg Cissé. Ze greep zijn arm en schudde hem heen en weer. „Vertel dan."
De kobold trok zich los. „Ik wil dat ze van me afblijft," zei hij beledigd tegen Archibalda.
„Cissé blijf kalm!" riep tante Alda bezwerend. Cissé gromde met op elkaar geklemde kiezen. Ze zag eruit alsof ze de kobold wilde verscheuren, maar het grijze wezen draaide zich om en ging met zijn rug naar haar toe staan.
„Hoe liep het af?" vroeg Archibalda zacht.
„Slecht," antwoordde de kobold. „Het loopt altijd slecht af met de mensen in de tijdschijf. De zonnezangeres is dol op verhalen die slecht aflopen."
„Zijn ze dood?" vroeg Bart. Hij zag spierwit.
„Dood, dood," mompelde de kobold. „Wat is dood? Alle slachtoffers van de tijdschijf gaan naar de afgrond van het verleden. In het verleden leeft iedereen voort."
„Dan moeten we onmiddellijk naar de afgrond van het verleden!" riep Archibalda.
„Ik ken de weg naar boven, naar die rare mensen-

wereld van jullie," meldde de kobold alsof hij tante Alda niet had gehoord.

„We moeten eerst naar die afgrond," hield Archibalda vol. „We kunnen niet terug naar huis zonder Olaf en Tibilé."

„De afgrond is peilloos diep," waarschuwde de kobold. „Wie daarin afdaalt komt nooit meer boven."

„Dat wil ik eerst zelf zien," antwoordde tante Alda. „Ik weiger om te geloven dat Olaf en Tibilé verloren zijn. Waar een wil is is een weg. En wij willen Olaf en Tibilé terug." De kinderen kwamen vlak naast haar staan en knikten. Ze zagen er met zijn allen vastbesloten en sterk uit.

De kobold haalde zijn schouders op. „De weg naar boven en naar de afgrond liggen vlak bij elkaar. Om zo te zeggen op dezelfde plaats," zei hij.

„Mooi zo," riep tante Alda, „breng ons daar dan naartoe!"

„Eerst wil ik de toverdrank," zei de kobold. Begerig strekte hij zijn spinnevingers uit.

„Nee," zei tante Alda. „Eerst wijs je ons de weg." De kobold draaide zich om.

„Waar ga je naar toe?" vroeg Bart angstig.

„Naar de zonnezangeres," zei de kobold kalm. „Eerst wil ik het kruis in mijn vingers voelen." Zonder verder nog iets te zeggen, liep hij weg. Er zat niets anders op dan hem te volgen. Na vele trappen, gangen en sluipweggetjes kwamen ze door een geheime deur in de slaapkamer van de zonnezangeres. Ze lag in een witsatijnen hemelbed. Er was niemand bij haar. Ze had haar goudbrokaten gewaad uitgedaan en haar gouden pruik afgezet. Haar diamanten ringen lagen in een albasten schaal. Eigenlijk zag ze er opeens heel menselijk uit. De kobold wees naar haar borst. Allemaal zagen ze het prachtige gouden kruis.

Monica liep naar het bed en boog zich voorover om het beter te kunnen bekijken. Opeens zuchtte ze diep en droevig.

„Wat is er?" vroeg Archibalda.

„Het is het kruis van mijn moeder," antwoordde Monica.

„Zij is mijn moeder." Ze boog zich nog verder voorover en strekte haar hand uit. Voorzichtig streelde ze de wang van de slapende vrouw. Op dat moment sloeg de Zonnezangeres haar ogen op. Even keek ze Monica recht aan. Toen duwde ze haar weg en ging zitten.

„Wie heeft dit naargeestige schepsel hier gebracht?" zei ze. Haar stem sneed als een ijskoude wind door het slaapvertrek.

„De wieleman," lispelde de kobold onmiddellijk, „dat heeft uw geliefde wieleman gedaan."

„Daar zal hij voor boeten. Ik zal hem hoogst persoonlijk in de afgrond werpen," siste de zonnezangeres. Even leek het of Naak zelf in het bed lag. Toen strekte ze haar hand uit naar het schellekoord. De kobold kwam bliksemsnel in actie. Hij ontfutselde Archibalda haar toverdrank en wierp met grote handigheid druppels drank in de ogen, de oren, de neus en de mond van de zonnezangeres. Ze snakte naar adem. Toen viel ze achterover in de kussens, blind en doof, diep in slaap. Ze snurkte luid. Als een varken, dacht Bart. De kobold klom op het bed en maakte de ketting los. Luid smakkend van plezier greep hij het kruis.

„Snel, snel!" riep hij, „we moeten weg voor iemand ontdekt wat er is gebeurd!" Hij rende naar de geheime deur. De anderen holden achter hem aan. Alleen Monica zakte neer op de grond voor het bed. Ze huilde vreselijk. Tante Alda wilde haar overeind trekken maar ze weigerde om op te staan.

„Ik blijf hier," snikte ze. „Ik ben haar kind. Ik laat me

niet wegjagen, want ik ben haar kind."

„Wat is er nu weer," gromde de kobold. Hij kwam kijken waar ze bleven.

„Geef de toverdrank," beval Archibalda. Ze sprenkelde voorzichtig een paar druppels toverdrank op Monica's hoofd. Snikkend viel die in slaap. Archibalda tilde haar op en droeg haar achter de anderen aan de geheime gang in.

Ze kwamen midden in de stad uit. Het laatste stuk moesten ze door smalle drukke straten. Er was geen andere manier om de stad uit te komen. Ze waren allemaal heel zenuwachtig. Niemand wist of de zonnezangeres nog sliep of al wakker was. Misschien had ze al alarm geslagen. Dan zochten nu alle soldaten van het hof naar Archibalda en de kinderen. Vlak voor ze bovenkwamen, deed de kobold een bruin gewaad aan en trok een kap over zijn hoofd zodat hij onopgemerkt tussen de mensen van de stad kon lopen.

„Heb je voor ons ook niet zoiets?" vroeg Archibalda. „Wij vallen veel te veel op met onze gewone kleren."

„Ik moet ook overal voor zorgen," mopperde de kobold. „Jullie kunnen niets zelf."

Archibalda antwoordde niet. Ze knipoogde naar de kinderen zodat die ook hun mond hielden. Geduldig wachtten ze aan het eind van de geheime gang tot de kobold terugkwam. Hij had lange rokken en omslagdoeken voor de meiden en tante Archibalda, en grauwe hemden voor de jongens.

„Broeken kon ik niet vinden," zei hij en hij keek naar de broeken en schoenen van Bart en Adje. „Laten we hopen dat niemand omlaag kijkt. Is iedereen klaar? Dan gaan we."

Ze liepen dicht bij elkaar de straat op. De jongens in het midden, de kobold voorop. Hij had de kap diep over zijn ogen getrokken en liep met gebogen hoofd zodat niemand zijn lelijke, grijze gezicht kon zien. Alles ging goed. Ze zagen de poort al aan het einde van de straat liggen toen de narigheid begon.

De kobold liet zijn gouden kruis vallen. Hij stopte om het op te rapen, maar Bart en Adje botsten tegen hem op en Adjes voet schopte tegen het kruis. Het vloog een eind over de straat en viel toen in een putje. De kobold rende er heen en probeerde het putdeksel op te tillen, maar het zat vastgemetseld in de straat. Daarom liet hij zich op zijn buik vallen en stak jammerend zijn arm door de gleuf in het deksel. In de diepte zag hij het kruis liggen, maar zijn arm was te kort. Hij kon er niet bij.

„Wacht," riep tante Alda, „laat mij het proberen!" Ze legde Monica op de grond en ging op haar knieën liggen, maar haar arm was te dik.

Er kwamen mensen om hen heen staan om te zien wat er aan de hand was. Dit gaat niet goed, dacht Archibalda. Ze pakte de kobold bij zijn schouder en zei: „Kom, daar kun je toch niet meer bij."

„Mijn goud, mijn goud," jammerde hij. Zijn kap gleed van zijn hoofd. De mensen riepen: ah en oh omdat ze opeens zijn afgrijselijke gezicht zagen. Ze deinsden achteruit.

Op dat moment keek Bart naar het kasteel. Hij zag de soldaten aankomen. „Kijk daar!" gilde hij en wees. Alle mensen draaiden zich om.

„Vlug kom mee!" schreeuwde tante Alda. Ze renden weg in de richting van de stadspoort. De poortwachters hadden ook gezien dat er iets aan de hand was. Ze draaiden aan grote wielen om het zware luik neer te laten dat de poort afsloot. Het luik was al halverwege toen Archibalda en de kinderen er aankwamen. Ze glipten eronderdoor zonder te kijken of de kobold hen wel volgde. Archibalda hijgde en pufte onder de slapende Monica. Ze had haar over haar schouder gelegd en holde dribbelend als een kaasdrager. Erg lang kon ze dat niet volhouden. Ze bedacht dat Monica gelukkig mager was en niet zwaar, maar toch!

De kobold had niet eens gemerkt dat Archibalda en de kinderen ervandoor waren gegaan. Hij lag maar te jammeren om zijn goud. Pas toen het geluid van zware soldatenlaarzen vlak bij was, ontdekte hij hoe gevaarlijk de situatie werd. Hij schoot tussen de benen van de omstanders door en vloog als de vliegende bliksem naar de poort. Hij kon er nog net plat op zijn buik onder door rollen. Hij luik klapte met een dreun achter hem op de grond. Aan de andere kant schreeuwden de soldaten:

„Haal op, haal op. De dieven zijn de stad al uit. Haal op!"

Maar het duurde lang voor de poortwachters alles in werking hadden gezet om het luik weer op te hijsen.

Archibalda en de kinderen rolden toen al achter de kobold aan een kleine grot in, die verderop smaller werd en uiteindelijk uitmondde in een onderaardse gang.

„We lijken wel mollen," zei Bart. „We zitten steeds onder de grond."

„Boven de grond is het gevaarlijk," hijgde de kobold. „Hier kunnen we wel even rusten." Ze ploften allemaal ergens neer en deden de lange rokken en grauwe hemden uit. Tante Alda had Monica voorzichtig op de grond gelegd.

„Wanneer wordt ze wakker?" vroeg Cissé.

„Geen idee," antwoordde Archibalda. „Het was niet de bedoeling om de toverdrank op een van ons te gebruiken."

Bart begon de toverspreuk te zeggen waarmee ze Adje altijd wakker kregen, maar die werkte niet op Monica.

„Alles is voor niks," klaagde de kobold. „Alle moeite voor niks. Ik had jullie net zo goed in de grot kunnen laten."

„En wij hadden jou in de lila gel kunnen laten drijven," zei Cissé nijdig.

„Gel," vroeg de kobold, „welke gel?"

„Misschien kan je dat kruis toch nog te pakken krijgen," zei Archibalda. „Je weet nu waar het is. Je hoeft alleen maar een goed plan te verzinnen."

„Zolang het klaarlichte dag is, kan ik niets doen," klaagde de kobold. „En de nacht is nog ver."

„Helpt het misschien als je wat toverdrank rondstrooit op de nieuwsgierige kijkers?" vroeg Archibalda.

„Toverdrank?" De oogjes van de kobold begonnen te glimmen. „Waar heb ik die ook alweer gelaten?"

„Hij is wel vergeetachtig zeg," merkte Bart op. „Straks vergeet hij nog waar Olaf is en hoe we thuis kunnen komen."

„Is het nog ver naar huis?" vroeg Adje. Hij zag wit van vermoeidheid. Ze waren bijna vergeten dat hij kon praten. Hij had al zolang niets gezegd. Tante Alda haalde de toverdrank uit haar mouw. Voor ze de slapende Monica had opgepakt, had ze de rest van de toverdrank zorgvuldig opgeborgen. Begerig strekte de kobold zijn handen uit, maar Archibalda stopte de fles weer weg.

„Eerst vertel je hoe we bij de afgrond komen," zei ze streng.

De kobold kreunde. „Laat me het flesje even vasthouden," smeekte hij. „Even maar." Archibalda schudde haar hoofd. Ze was onverbiddelijk. De kobold kreeg de drank niet in handen voor hij hen had geholpen.

„Het is heel eenvoudig," begon het grijze wezen. „Zoals jullie wel hebben gemerkt zitten er hier en daar scheuren in de tijd. Bij zo'n scheur kun je van de ene tijd in de andere komen. Van boven naar beneden, van voor naar achter van binnen naar buiten, van verleden naar heden en toekomst en naar allerlei andere tijden.

„Zoals de tovertijd," zei tante Alda.

„Ook ja," zei de kobold traag. „De poort en de put zijn openingen. Daardoor kom je bij Vrouw Holle en weer terug. Het lichtpuntje in de steengroeve is er ook een. Daardoor kom je in het hof van de zonnezangeres.

„Dat weten we allemaal al," merkte Archibalda geërgerd op. „Maar waar kan je eruit?"

„Bij de afgrond van het verleden," vertelde de kobold „Daar is een uitgang, maar het is erg gevaarlijk want je kunt er ook verder omlaag, naar duizend andere tijden. Ik ben niet zo dol op die plek. Je weet nooit wat je daar aantreft, soms duiken er vreselijke monsters op uit het verleden."

„Aha," riep tante Alda, „je kunt er dus ook weer uit!"

„Ik heb er nog nooit iets goeds uit zien komen," zei de kobold. „Altijd is het door en door slecht en gruwelijk wat er uit de diepte opduikt. Ik mijd die plek."

„Toch zul je ons er heen moeten brengen," zei Archibalda.

De kobold zuchtte diep. „Zullen we dan maar," stelde hij voor. Hij had opeens haast. Hij loerde doorlopend naar Archibalda's mouw. Ze sjouwden achter hem aan door de onderaardse gang. Hier en daar waren lichtgaten zodat ze konden zien waar ze liepen. Af en toe was het ook erg donker. Dan schuifelden ze op de tast verder. Na een hele tijd fluisterde de kobold:

„Voorzichtig, we zijn er bijna. Wees stil. Je weet nooit wat je bij de afgrond van het verleden te wachten staat."

Aan het geluid van hun voetstappen hoorden ze dat ze in een grotere ruimte kwamen. Langzaam wenden hun ogen aan het duister. Ze waren in een vierkant vertrek met gemetselde muren. Aan de andere kant van de ruimte steeg een gloed op uit de grond alsof daar een diep gat was. Vlak bij de rand van het gat lagen twee bobbels. Voorzichtig slopen ze dichterbij. Een van de bobbels kreunde.

„Het is Tibilé!" riep Cissé. Ze wilde naar haar zusje toe rennen, maar Archibalda hield haar tegen.

„Het is te mooi om waar te zijn," zei ze. „Hier zit vast iets achter, iets gevaarlijks. Jullie blijven hier staan. Ik ga ze van dichtbij bekijken."

Het waren inderdaad Olaf en Tibilé die daar lagen. In het begin kon ze niets bijzonders aan hen ontdekken. Ze zagen eruit alsof ze sliepen. Tibilé bewoog onrustig alsof ze droomde. Olaf lag heel stil. Uiteindelijk besloot Archibalda om hen bij de afgrond vandaan te halen. Ze pakte Tibilé's armen en trok. Er gebeurde niets. Het slapende meisje zat vast.

Opeens ontdekte Archibalda dat er een slangachtige vangarm om Tibilé's been gerold zat. Ook Olaf werd vastgehouden door iets wat nog het meest leek op de tentakels van een reusachtige inktvis. De vangarmen kwamen over de rand van de afgrond. Voorzichtig boog Archibalda zich over de rand. Ze wilde zien wie of wat de kinderen gevangen hield, zodat ze een manier kon bedenken om de vijand uit te schakelen. De gloed in de diepte was zo fel dat het haar verblindde. Ze kneep haar ogen tot spleetjes. De vangarmen leken in de diepte te verdwijnen. Het was net of het verleden zelf vangarmen had waarmee ze haar prooi naar zich toe haalde.

Halverwege de diepte bewoog iets. Het klimmende figuurtje had iets menselijks. Gefascineerd volgde Archibald zijn vorderingen. Toen het de rand naderde herkende ze de wieleman. Hij vloekte en schold en hield zich met de moed der wanhoop vast aan de tentakels. Hij liet zijn wielen op volle snelheid draaien.

De zonnezangeres had hem in de afgrond geworpen, maar met zijn buitengewone slimheid had de wieleman een manier gevonden om zijn val te breken en nu klom hij hoger en hoger.

Archibalda kreeg kippevel van de grijns op zijn gezicht. De kobold had het al gezegd. Alleen door en door slechte wezens kregen het voor elkaar om aan het verleden te ontsnappen. Ze voelde een vreselijke woede in zich opkomen. Alle ellende en narigheid waarin ze terechtgekomen waren, hadden ze te danken aan dit afschuwelijk misbaksel. En hij was vrolijk op weg om nog meer kwaad aan te richten, om nieuwe slachtoffers te zoeken voor Naak. Om andere onschuldige kinderen in de val te lokken. Dit keer zou hij de kans niet meer krijgen.

„Houd mijn benen vast!" riep ze naar de kinderen. Ze ging op haar buik liggen en begon op het hoofd van de wieleman te timmeren. Ze probeerde zijn handen los te trekken van de tentakels zodat hij zou vallen in de peilloze diepte en voor altijd uit hun leven zou verdwijnen. Op de een of andere manier kreeg de wieleman haar hand te pakken in plaats van andersom. Hij trok haar omlaag, terwijl hij zelf omhoog klom. De kinderen trokken zo hard ze konden aan haar benen, maar ze waren niet sterk genoeg.

De kobold stond op een afstand te kijken, klaar om te vluchten als de wieleman zou winnen.

Juist toen de strijd hopeloos begon te worden, voelde Archibalda iets uit haar mouw glijden. De fles toverdrank viel kapot op het hoofd van de wieleman. Het vocht stroomde langs zijn gezicht en over zijn schouders, droop de diepte in. Ze voelde zijn greep verslappen. Een moment later liet hij haar los en stortte omlaag. Bijna tegelijkertijd lieten de tentakels Olaf en Tibilé los. De gloed in

de diepte doofde. Ze zouden nooit weten of dat kwam door de toverdrank of doordat het monster van het verleden de wieleman als prooi kreeg. Adje, Bart en Cissé trokken eerst Archibalda terug en toen Olaf en Tibilé.

De kobold schreeuwde vijf minuten lang de meest vreselijke scheldwoorden die hij kende, omdat de toverdrank nu voor altijd was verloren. Tenslotte verdween hij scheldend en tierend de geheime gang in. Archibalda en de kinderen merkten het niet. Ze waren uitgeput en werden steeds duizeliger alsof de lucht in het vertrek bedorven was. Even later waren ze allemaal bewusteloos.

Wees gewaarschuwd

Mevrouw Desmet aarzelde lang voor ze de politie belde. Toen mevrouw Eenhoorn en de kinderen de hele nacht wegbleven en ook de volgende morgen niet op kwamen dagen, belde ze toch. Ze zei heel weinig en vertelde niets over de wieleman. Ze liet alleen het openstaande huis zien en vertelde dat de buurvrouw met zes geleende kinderen was verdwenen.

Het huis, de tuin en het dorp werden uitgekamd. Toen dat niet hielp, lieten ze een politiehond komen. Het dier snuffelde aan de kleren van de kinderen. Met zijn neus bij de grond liep hij het bos in en kwam bij de steengroeve uit. Daar liep het spoor dood. Na een paar keer vond hij het oude spoor van Archibalda en de kinderen. Het was al dagen geleden dat ze het bos in waren gegaan op zoek naar Adje. Af en toe raakte de hond in de war door verse sporen, maar tenslotte bracht hij de politie toch bij de ruïne naast het bospad. Niemand geloofde dat daar iets interessants zou zijn, maar de hond liep regelrecht naar de hoek van de bouwval en ging de trap af. In het keldervertrek vonden ze mevrouw Eenhoorn en de zes kinderen. Ze leken niet gewond, maar ze waren allemaal bewusteloos. Ze werden onmiddellijk naar het ziekenhuis gebracht.

Adje deed zijn ogen open. Hij was niet meer onder de grond in de donkere gemetselde ruimte met het monster, de wieleman en de kobold. Hij lag op een hoog bed in een lichte kamer. Buiten scheen de zon. Olaf en Bart waren er ook. Ze sliepen. Het leek hier wel een ziekenhuis door die hoge bedden, dacht Adje. Hij gleed uit zijn bed en probeerde Bart wakker te maken. Maar die reageerde niet. Olaf bleef ook slapen toe Adje hem aan zijn arm heen en weer schudde. Waar zou tante Alda zijn? En Cissé, vroeg hij zich af. Er was maar één deur in de kamer. Hij deed hem een stukje open en gluurde door de kier. In een gang liepen mensen in pyjama en een verpleegster. Nu wist hij zeker dat hij in een ziekenhuis was.

Hij wachtte tot de verpleegster weg was en glipte toen naar de eerstvolgende deur. Hij duwde hem open en keek. Daar lag Monica. Vlug glipte hij naar binnen en deed de deur dicht. In de kamer stonden nog drie bedden. Daarin lagen tante Alda, Tibilé en Cissé. Iedereen sliep.

Adje zuchtte diep. Waarom sliepen ze toch allemaal? Hij wilde met iemand praten. Met Cissé bijvoorbeeld. Hij ging naar haar toe en klom op haar bed. Voorzichtig trok hij de deken en het laken weg. Daarna pakte hij het glas water dat op het kastje naast het bed stond. Hij liet een beetje water in Cissé's gezicht vallen. Ze schrok wakker en schoot overeind. Adje viel bijna van het bed. Het water vloog uit het glas over zijn kleren. Hij begon te giechelen.

„Waar zijn we?" vroeg Cissé.

„In het ziekenhuis," antwoordde Adje.

„In een echt ziekenhuis?"

„Dat weet ik niet," Adje haalde zijn schouders op. „Wij liggen daar." Hij wees naar de muur aan de kant waar hun kamer was. „Bart en Olaf slapen nog en ze willen niet wakker worden."

„We moeten voor ze zingen," zei Cissé.

„Zingen?" vroeg Adje verbaasd.

„Ja, dat deden we voor jou ook altijd als je sliep," legde Cissé uit.

„Ik slaap nooit," zei Adje en ik word altijd het eerste wakker."

„Dat kan niet," zei Cissé. „Als je niet slaapt, kan je niet wakker worden."

Adje keek haar ongelovig aan. „In ieder geval moet je de toverspreuk leren zodat je met me mee kunt zingen," zei Cissé. Ze begon de spreuk op te zeggen. Toen Adje hem kende, zongen ze samen keihard:

„Ango lamo zambiek zimbab webots wana, hoort het woord." De deur van de kamer vloog open. Er kwam een verpleegster binnen. „Zie je wel," zei ze. „Ik dacht al dat ik iets hoorde. Zijn de anderen ook wakker?"

„Mijn broers niet," antwoordde Adje. Tibilé gaapte.

Archibalda deed haar ogen open en kwam half overeind. Verbaasd en ongerust keek ze om zich heen. „Waar zijn we?" vroeg ze.

„In het provinciaal ziekenhuis, mevrouw," antwoordde de verpleegster. „U bent hier gistermorgen binnengebracht, samen met de kinderen. Eerst dachten we dat jullie bewusteloos waren, maar uiteindelijk bleek het alleen maar een diepe slaap te zijn. Ik weet niet wat u heeft gegeten of gedronken, maar er zat vast een zeer sterk slaapmiddel in."

„Nee, het was geen slaapmiddel," begon Archibalda uit te leggen. Toen hield ze haar mond. Ze wilde eerst eens goed nadenken over wat ze de verpleegster en alle andere nieuwsgierige vragenstellers zou vertellen.

„Ik ga de dokter halen," zei de verpleegster. „Hij wilde u onderzoeken zodra u wakker zou zijn."

Toen ze de kamer uit was, kwam tante Alda uit bed. Ze liep naar Monica en bekeek haar ongerust. „Ik wou dat ik die toverdrank niet had gebruikt," zei ze. „Het is vast te sterk geweest voor zo'n mager meisje. „Ze schudde bezorgd haar hoofd. „Hoe is het met Olaf en Bart?"

„Die gaan we nu wakker zingen," zei Cissé. In optocht gingen ze naar de jongenskamer, Adje voorop. Even later stonden ze te zingen bij de slapende jongens. Het leek wel een verjaardagsochtend. Bart en Olaf deden tegelijk hun ogen open.

„Zijn we weer thuis?" vroeg Bart.

„Waar is Tibilé?" vroeg Olaf. Tibilé ging op de rand van zijn bed zitten.

„We zijn nog niet thuis," zei tante Alda.

„Maar we zijn wel weer gewoon op aarde," vertelde Cissé. „In een gewoon ziekenhuis, met gewone verpleegsters en gewone bedden."

„Is er ook gewoon eten?" vroeg Adje. „Ik heb honger." Ze begonnen allemaal te lachen. Adjes opmerking was niet echt leuk, maar alles leek opeens zo vrolijk en luchtig en licht, dat ze bleven lachen en door de kamer dansten en het vieze lied zongen.

Midden in het lied kwam de dokter de kamer in. „Zo te zien zijn jullie goed wakker," zei hij.

„Alleen Monica slaapt nog," vertelde Adje. „Maar dat komt door de toverdrank."

„Adje, dat was toch ons geheim," zei tante Alda en ze knipoogde naar de dokter alsof ze wilde zeggen: dat spelletje spelen we altijd. Doet u ook mee?

„Zo," zei de dokter, „als het door de toverdrank komt, dan moeten we er maar een tovenaar bij halen om haar wakker te maken."

Adje keek tante Alda aan en giechelde. Hij vond de dokter dom. Maar hij zei niets meer, want hij snapte wel dat hij hun geheim niet verder mocht verraden.

„Als u even mee wilt komen," zei de dokter tegen Archibalda. „Er moet nog het een en ander worden geregeld. We hebben de ouders van de kinderen niet gewaarschuwd, want er was geen levensgevaar, maar..." Al pratende ging hij de kamer uit. Tante Alda liep met hem mee.

Zodra ze alleen waren, gingen de kinderen terug naar Monica. Ze stonden met zijn allen om haar bed. De vrolijkheid was opeens verdwenen, want Monica lag zo wit en stil in het hoge bed. Ze leek precies op Sneeuwwitje in het glazen kistje met het stuk giftige appel in haar keel.

„Wordt ze nooit meer wakker?" vroeg Adje.

„Natuurlijk wel," zei Olaf, maar hij geloofde het zelf niet.

De verpleegster kwam binnen met een kar met lekkers.

„Zitten jullie nu weer hier?" zei ze knorrig. Met dat stel krijg ik het nog druk, dacht ze. Dat zag je aan de manier waarop ze keek.

De kinderen letten er niet op. Ze waren uitgehongerd en hadden alleen nog oog voor het heerlijks op de kar.

De volgende dag mochten ze naar huis. Alleen Monica moest blijven. Ze stonden met zijn allen om haar bed.

„Waarom mag ze niet met ons mee naar huis?" vroeg Bart. „De dokter kan toch niets voor haar doen."

„Hij heeft een telegram gestuurd naar haar moeder om te vragen of ze komt. De dokter denkt dat Monica zal reageren als haar moeder iets tegen haar zegt," vertelde Archibalda.

„Haar moeder komt niet," zei Cissé.

„Hoe weet je dat?" vroeg de dokter die op dat moment de kamer in kwam. Hij had een telegram in zijn handen. „Ze is op toernee en kan onmogelijk weg. Ze heeft alle vertrouwen in onze goede zorgen, schrijft ze."

Cissé zei een zeer lelijk woord.

„Heeft ze verder nog familie?" vroeg de dokter.

„Ze heeft ons," zei Tibilé. „Wij zijn nu haar zusjes. Ze mag bij ons komen wonen. Dan hoeft ze niet meer terug naar dat internaat."

„Ze kan ook met ons mee," zei Olaf.

„Of ze kan gewoon bij jou blijven," zei Bart tegen tante Alda. „Dan word jij een soort moeder voor haar."

„Ja," zei Archibalda. „Dat zou kunnen, maar daar praten we later nog wel eens over." Ze boog zich over Monica heen en fluisterde: „Zorg alsjeblieft dat je vlug weer wakker wordt. We wachten op je. Zonder jou is ons groepje niet compleet."

„Dag Monica, tot morgen, tot ziens, tot heel gauw!" riepen de anderen. Toen ze in de twee taxi's naar huis reden, waren ze allemaal heel zwijgzaam.

Thuis maakte tante Alda een groot kampvuur. Ze haalde worstjes uit de vriezer en maakte een grote kan limonade. Met zijn allen zaten ze om het vuur en keken hoe de worstjes ontdooiden, vet werden en sputterend in hun eigen vet bruin bakten. De laatste keer dat ze een vuur hadden gemaakt was om de toverdrank te koken. Niemand zei dat hardop, maar allemaal dachten ze eraan en keken naar de plaats waar Monica had moeten zitten.

„Nu moeten we een verhaal verzinnen," zei tante Alda na het eten. De kinderen keken haar verbaasd aan. „Morgen of overmorgen komt de politie om te vragen wat er precies is gebeurd," vertelde ze. „En mevrouw Desmet wil natuurlijk ook horen hoe we in de ruïne terecht zijn gekomen. Waarschijnlijk weet het halve dorp al dat we daar bewusteloos zijn aangetroffen. Vroeg of laat komen de vragen. Wat gaan we dan antwoorden?"

„De waarheid," zei Bart. „Je moet altijd de waarheid zeggen."

„Wat is de waarheid?" vroeg Archibalda.

„Nou gewoon," zei Bart, „Dat we achter de wieleman aan gingen en door de grond floepten."

„Dat gelooft niemand," zei Olaf. „Want dat kan helemaal niet. Een mens kan niet door de grond floepen."

„Maar het is toch gebeurd," zei Bart.

„Weet je dat zeker?" vroeg Archibalda. „Misschien hebben we gedroomd."

„O ja," zei Bart. „En waar is dan de toverdrank gebleven? En waarom slaapt Monica nog?"

„En de mouw van haar trui," zei tante Alda. „Ik heb haar kleren bekeken. Haar trui heeft nog maar een mouw."

„En hoe kwamen we in de ruïne?" vroeg Cissé.

„Gewoon," zei Adje. „We hoorden trommels en daar gingen we achteraan."

„Ja," zei tante Alda. „Dat kunnen we vertellen. Adje hoorde trommels en wilde per se die kant op. Per ongeluk ontdekten we de ruïne. Het was nogal onvoorzichtig om zo'n bouwvallig krot in te gaan. Maar we waren nieuwsgierig en dol op avontuur. Daarom gingen we de kelder in, maar daar was de lucht bedorven en we raakten bewusteloos. Dat is er gebeurd en de rest hebben we verzonnen. Dat van die tovertijd, toverdrank en toverstok."

„Heb je die nog?" vroeg Bart.

„Nee," zei tante Alda, „die heb ik ook verloren. Misschien toen we de stad uit vluchtten of bij de afgrond."

„Welke afgrond?" vroeg Tibilé.

„Je hebt gelijk," zei tante Alda. „We moeten er niet meer over praten. Het is nooit gebeurd." Ze zwegen. De laatste vetdruppels knetterden in het vuur.

„Volgens mij is het helemaal niet de toverdrank die Monica in slaap houdt," zei Cissé plotseling, „want de zonnezangeres was zo weer wakker. En toen wij in de verwoestende bel zaten met de oordopjes in, toen maakte de druppel toverdrank ons alleen maar doof."

„Nou praat je er toch weer over," zei Tibilé.

„Dat is waar," zei tante Alda. „Maar ik denk dat Cissé gelijk heeft. Monica slaapt omdat ze niet wakker wil worden, niet terug wil komen in onze wereld."

„Daar is buurvrouw Gewoon," waarschuwde Olaf.

„Bent u weer thuis!" riep mevrouw Desmet terwijl ze de tuin in kwam lopen. „Ik dacht, ik moet eens even gaan vragen hoe het met u gaat."

„Heel goed, dank u," zei tante Alda, „gaat u zitten. Wilt u iets drinken? Een borreltje of eigengemaakte limonade?"

„Liever thee," zei mevrouw Desmet. „Als het niet te veel moeite is." Tibilé en Olaf gingen weg om thee te zetten.

„Zijn jullie weer allemaal helemaal beter?" vroeg de buurvrouw en keek speurend om zich heen. „Ontbreekt er niet iemand, dat magere meisje?"

„Monica moest nog een nachtje in het ziekenhuis blijven ter observatie," vertelde Archibalda. „Wij wilden u nog bedanken voor uw hulp. Als u de politie niet had gebeld, dan lagen we nu nog in die kelder."

„Kwam het door de wieleman?" vroeg mevrouw Desmet.

„O nee, die bestaat niet," antwoordde tante Alda beslist.
„Gut, hoe kwam u daar dan terecht?" vroeg de buurvrouw.
„Heel gewoon," begon tante Alda. Geholpen door Adje en Bart vertelde ze over hun wandeling.
„Dat had heel slecht af kunnen lopen," zei mevrouw Desmet. „Stel je voor dat de ouders van die kinderen hadden moeten horen... Wanneer komen die hun kroost weer ophalen?"
„Aan het eind van de week," antwoordde Archibalda.
„Moeten we dan alweer naar huis?" vroeg Adje.
„Ja," zei Bart, „want dan zijn mama en papa weer terug uit Borneo."
„Wat jammer!" riep Adje. En buurvrouw Desmet riep:
„Borneo! Dat is een eind weg. Waren ze daar op vakantie?"
Toen Tibilé en Olaf terugkwamen met de thee zaten tante Alda en mevrouw Desmet te praten over verre vakanties en vreemde landen.

De oude staande klok liet negen slagen door het huis galmen. Tante Alda en de kinderen stonden voor de boekenkast. Negen uur, toverboekentijd.
Archibalda aarzelde. Ze wist niet of ze wel of niet in het boek zou moeten lezen. De kinderen stonden doodstil te wachten op haar beslissing.
Ik moet weten hoe het afloopt, dacht Archibalda, en misschien staat er iets in dat Monica kan helpen. Resoluut pakte ze het boek van de plank. Ze ging zitten en legde het op haar schoot. Allemaal keken ze naar de sterren en het maansikkeltje.
Archibalda las hardop de titels van de hoofdstukken terwijl ze de bladen omsloeg. Tovercirkel, toverspiegel,

toverspreuk, toverdrank, toverstaf. Bij elk hoofdstuk kwamen herinneringen boven. Aan het omgespitte grasveld, aan de wandeling door het bos met de trommels die Adje meelokten, aan de prachtige verhalen op de bodem van de vijver, aan de picknick bij de rivier, aan het bos met de smakkende lianen.

Bij het laatste hoofdstuk 'tovertijd' sloeg Archibalda snel de bladzijde om. De herinneringen aan hun ondergrondse avonturen waren nog te vers en te pijnlijk. Daar wilde ze niet meer aan denken. Ze was nu op de laatste bladzijde van het boek aangeland. Er stond met grote letters WAARSCHUWING.

,,Die komt te laat,'' zei ze en begon hardop de tekst voor te lezen:

WAARSCHUWING

De tovertijd is streng,
verboden voor onbevoegden.
Wie zonder voldoende kennis
de andere wereld betreedt,
doet dat op eigen risico
voor leven en dood.
Menigeen die ondoordacht
het avontuur ingaat,
keert nimmer weer.
En zelfs wie wel weer boven komt,
is voor altijd aangedaan,
veranderd
ten goede of ten kwade,
dat weet men nooit.
Maar het is voorgoed,
voor eeuwig.
Let wel
en wees gewaarschuwd.

Archibalda huiverde, de dreiging in dit laatste hoofdstuk maakte haar bang. Ze wist dat het waar was wat er stond. Als ik dit eerder had geweten, was ik dan ook zomaar achter die wieleman aangehold, vroeg ze zich af. Of zou ik dan toch voorzichtiger zijn geweest?

Een ding was zeker, ze had geen zin meer om te toveren. Ze wilde het woord toveren zelfs nooit meer horen en ze vond het helemaal niet erg dat ze haar toverstaf was kwijtgeraakt. Al die vreemde wezens die normaal onzichtbaar zijn, maakten haar bang. Zelfs de huisdwerg, die toch zo leuk en vriendelijk leek, had hen met zijn tovergedichten in groot gevaar gebracht.

,,Ik wist het altijd al,'' zei Bart.

,,Wat?'' vroeg Cissé.

,,Dat er nog een andere wereld is,'' antwoordde Bart.

,,Er is helemaal geen andere wereld,'' zei Olaf. ,,Wat daar staat is verzonnen. Het is gewoon een sprookjesboek en sprookjes zijn bedrog. Dat weet iedereen.''

,,Wat zullen we met het boek doen?'' vroeg tante Alda.

,,Niets,'' antwoordde Olaf. ,,Zet maar weer op de plank. Het verdwijnt vanzelf.'' Hij draaide zich om naar Tibilé. ,,Zullen we gaan schaken?''

,,Sinds wanneer kunnen jullie schaken?'' vroeg Cissé.

Olaf en Tibilé keken elkaar aan. ,,Sinds daarginder,'' zeiden ze ernstig en liepen weg naar de spelletjeskast.

,,Gaan wij verstoppertje doen?'' vroeg Adje aan Cissé.

,,Als jij hem bent,'' zei Cissé.

,,Maar je mag je niet zo ver verstoppen, hoor,'' zei Adje, ,,dat is niet eerlijk.'' Samen gingen ze naar buiten.

,,Waar denk je aan?'' vroeg tante Alda aan Bart. Hij had een diepe rimpel in zijn voorhoofd.

,,Aan Monica. Denk je dat ze ooit nog wakker wordt?''

,,Ik weet het niet.'' Tante Alda zuchtte. ,,Ik denk de hele tijd aan haar.''

„Ik ook." Bart zweeg even. „Het is niet waar wat Olaf zegt," zei hij toen. „Want als je een toverstaf hebt, kun je zien dat er van alles bestaat."

„Ja," gaf tante Alda toe. „Er bestaat een heleboel onzichtbaars, maar daar wil ik liever niet meer aan denken. En ik wil er nooit meer iets mee te maken hebben."

„Ik wel," zei Bart. „Als ik later groot ben, ga ik nog eens naar daarginder."

„Het is er gevaarlijk," zei tante Alda. „En eng."

„Mijn dromen zijn ook eng," zei Bart, „veel enger dan de zonnezangeres."

„Sssst," waarschuwde Archibalda, „je mag die naam hier nooit meer noemen."

Adje kwam de kamer inhollen. „Daar is de politie, daar is de politie," zong hij.

„Die komen natuurlijk vragen wat er precies is gebeurd," zei tante Alda.

De agenten waren met zijn tweeën. Ze keken ernstig. Het maakte tante Alda ongerust. Ze hoopte dat die twee haar niet te veel in het nauw zouden drijven met hun vragen. Adje, Bart en Cissé stonden in een hoekje van de kamer te kijken hoe de agenten gingen zitten.

„Waar zijn de andere kinderen?" vroeg de oudste agent. „Ik wil graag dat alle betrokkenen bij dit gesprek zijn."

„Wat zijn dat, betrokkenen?" vroeg Adje.

„Dat zijn de mensen die er bij waren," legde tante Alda uit.

„Waarbij?" vroeg Adje.

„Bij jullie verdwijntruc," zei de andere agent. Het klonk als een grapje maar hij lachte niet. Cissé was weggegaan en kwam terug met Olaf en Tibilé.

„Is iedereen er nu?" vroeg de oudste agent. Tante Alda knikte.

,,Ik dacht dat jullie met zijn zevenen waren?'' zei de andere agent.

,,Monica ligt nog in het ziekenhuis,'' legde tante Alda uit. De twee agenten keken elkaar aan. De oudste agent schraapte zijn keel en zei:

,,Dat is niet juist.''

,,Hoe is dat niet juist?'' vroeg tante Alda. Ze voelde dat ze kwaad werd. Die agenten deden nogal vreemd. ,,Toen wij gisteren naar huis mochten, moest Monica blijven omdat ze nog niet wakker was. U kunt de dokter bellen om het te controleren. Ik verzin dit niet!''

,,Dat van gisteren klopt,'' zei de jongste agent. ,,Maar vandaag is de situatie anders. Monica is niet meer in het ziekenhuis.''

,,Niet meer in het ziekenhuis?'' herhaalde tante Alda verbaasd.

,,Nee, ze is verdwenen, vermist zo u wilt,'' zei de agent, ,,en wij dachten, we hoopten dat u ons kon vertellen waar ze nu is.''

,,O nee,'' kreunde Archibalda. ,,Hoe kan dat nou. Letten ze daar in dat ziekenhuis dan helemaal niet op. We hadden haar toch mee naar huis moeten nemen.''

,,Ze is natuurlijk naar die afschuwelijke moeder van haar toe gegaan,'' zei Cissé.

,,Nee,'' zei de agent, ,,dat zijn we meteen nagegaan. Haar moeder heeft haar niet gezien. Het is trouwens een nogal vreemd mens. Ze leek niet buitengewoon ongerust. 'Die komt wel weer terecht', zei ze zelfs.''

,,Dat verbaast me niets,'' antwoordde tante Alda.

,,Heeft u enig idee waar ze verder nog naartoe gegaan kan zijn? Heeft ze hier in de buurt misschien een schuilplaats?'' De kinderen keken elkaar aan. Ze dachten allemaal tegelijk aan de steengroeve, maar niemand zei iets.

,,Het spijt me,'' zei tante Alda, ,,de enige plaats die ik

kan verzinnen is de ruïne."

„Daar zijn we al geweest," vertelde de oudste agent. „Er is daar geen spoor van haar te bekennen."

„En verder..." tante Alda's stem stierf weg. „Neemt u me niet kwalijk, maar ik ben nogal geschokt door het feit dat Monica zomaar is verdwenen. Ik had haar niet alleen moeten laten."

„U moet uzelf niet de schuld geven," zei de agent. „Niemand kon voorzien dat ze weg zou lopen als ze wakker werd. We zijn een grote opsporingsactie begonnen. Haar foto en signalement komen in de kranten en op de t.v. We houden haar school in de gaten. Kortom we doen wat we kunnen. U zult zien dat ze binnenkort wordt gevonden."

„Als er maar niets met haar gebeurd is," mompelde Archibalda. De kinderen huiverden.

„Als u verder niets meer weet om ons op het spoor te zetten," zei de oudste agent, en hij keek de kinderen een voor een doordringend aan, „dan gaan we maar weer. Mocht ze toch nog hier komen, dan moet u ons onmiddellijk waarschuwen."

„Natuurlijk, dat zal ik doen," zei tante Alda. Maar ze wist al dat Monica niet zou komen. Monica was voorgoed vertrokken.

Tante Alda probeerde de laatste dagen van de vakantie nog zo gewoon mogelijk te maken. Ze plukten de laatste kersen van de boom. Ze gingen zwemmen en ijs eten. Maar overal misten ze Monica. Door alles wat ze hadden meegemaakt, waren ze een soort familie geworden. Ze hoorden bij elkaar. Ook Monica hoorde erbij. Maar Monica was weg.

Op de ochtend van de laatste dag organiseerde tante Alda een picknick om de vijver. De koffers en tassen waren ingepakt. Ze hadden elkaars adressen opgeschreven en afgesproken dat ze de volgende vakantie weer met zijn allen bij tante Alda zouden komen.

„Dan gaan we op ontdekkingsreis," zei Archibalda. „Dat is vast niet zo gevaarlijk als ..." Ze maakte haar zin niet af.

„Daar kan Monica niet bij zijn," zei Bart verdrietig.

Tibilé begon stil te huilen.

„Als we maar wisten waar ze was," mompelde Olaf. „Dan was het niet zo akelig."

„Ze komt vast weer terecht," zei Cissé fel. „Dat moet gewoon."

„Ja," zei tante Alda. Ze staarde naar de lichtvlakjes op de bodem van de vijver. De toverspiegel waar Monica zo dol op was geweest.

Zomaar vanzelf begon ze de spiegeltekst op te zeggen.

„Tranen, kringen, keitjes rond." De bodem van de vijver werd helder. „In vloeibare spiegel, watermond."

De kinderen zagen het huisje van Vrouw Holle. Voor het huisje was een meisje bezig om het dikke donzen bed van Vrouw Holle op te schudden. Ze keek omhoog. Het was Monica. Ze zag er heel gelukkig uit. Ze lachte en zwaaide naar hen en schudde het bed zo hard ze kon.

En terwijl de zon stralend in de blauwe lucht stond, begon het zachtjes te sneeuwen.

Thea Dubelaar en haar boeken

Thea Dubelaar werd in 1947 geboren in het Noordhollandse dorp Den Ilp. Ze had een zorgeloze jeugd. Haar ouders waren niet rijk, maar ze gaven haar veel liefde en oog voor natuurschoon. Tijdens haar lagere schooljaren had ze nog geen behoefte om schrijfster te worden. En ook op de middelbare school schreef ze geen geweldige opstellen en was ze geen redactrice van een schoolkrant. Wel was ze vrijwillig medewerkster van de schoolbibliotheek en speelde ze toneel. Daarna volgde ze een journalistencursus en werkte als redactrice bij jeugdbladen en een vrouwenblad. Ze trouwde met een Fransman en ging in Frankrijk wonen. Daar begon ze verhalen te schrijven voor kinderen.

Haar eerste boek 'Sjanetje' werd bekroond met een Zilveren Griffel en vertaald in Duitsland en Amerika. Naast het schrijven beschildert ze ook zijde, maakt papierweefsels en marionetten. Ze werkt in een buurthuis waar ze met kinderen toneel speelt en knutselt.

„Ik schrijf," zegt Thea Dubelaar, „volkomen op mijn gevoel. Ik heb het verhaal in grote trekken in mijn hoofd, maar voor de rest laat ik alles maar wat opborrelen. Het is net een soort bron; die heeft tijd nodig om weer vol te lopen. En dan kun je er weer wat uithalen. Daarom duurt het schrijven allemaal wat lang. Een hele tijd later merk ik pas wat er goed of fout aan is. En dan schaaf ik het bij of begin weer opnieuw. Ik schrijf graag korte hoofdstukken en probeer ook geen moeilijke woorden te gebruiken. Want lezen is een enorme inspanning en je kunt emoties en gevoelens best in eenvoudige woorden vertellen. Ik geef geen kant en klare oplossingen, maar wil dat de lezer aan het denken wordt gezet."

Andere boeken om te lezen

De volgende boeken voor jou zijn ook uitgegeven door Uitgeverij Ploegsma en zijn te koop bij de boekwinkel. Ze hebben veel prachtige tekeningen en zijn mooi gebonden.

De stem van de reiziger
door Marian van der Heiden

Dreigend verhief de wachter zijn stem. „Niemand zal verder komen. Ik sta het niet toe. Keer terug naar Eirin, naar de droogte en de duisternis, naar een leven dat voor jullie bestemd is. Meer is er niet!''
Zal Perre gehoorzamen aan de strenge regels die hem opgelegd worden, of volgt hij de stem van de reiziger en gaat hij op zoek naar een wereld waarvan het bestaan door de voorgangers angstvallig verborgen wordt gehouden?

ISBN 90 216 1421 9

De gouden reis
door John Rowe Townsend

Als enige op het eiland heeft Eleni blauwe ogen, en daarom is ze een buitenstaander. Maar als er een verwoestende oorlog uitbreekt, is zij volgens de voorspelling de enige die het eiland kan redden! Om de hulp van de godheid in te roepen begint ze, samen met haar vriend Andreas, aan een lange en moeilijke tocht naar de heilige berg Ayos.

ISBN 90 216 1032 9

Ploegsma boeken - gewoon goed